Y DYDD OLAF

Y DYDD OLAF

Owain Owain

GWASG Y BWTHYN

ISBN: 978-1-913996-14-7

Cyhoeddwyd gyda chymorth ariannol
Cyngor Llyfrau Cymru.

Argraffiad cyntaf: Christopher Davies (Cyhoeddwyr) cyf 1976

Dyluniad y clawr: Siôn Ilar

Cyhoeddwyd ac argraffwyd gan
Gwasg y Bwthyn, Caernarfon
gwasgybwthyn@btconnect.com
www.gwasgybwthyn.cymru
01286 672018

Y Rhagair Gwreiddiol

PENNAR DAVIES

Ymhlith darllenwyr y mae gweiniaid a chedyrn. Y mae rhai o'r gweiniaid mor wan nes eu bod yn ffoi o flaen pob gwaith celfyddyd sydd yn trethu eu hadnoddau meddyliol ac ysbrydol, gweithiau sy'n gofyn myfyrdod ac ymroddiad i'w gwerthfawrogi neu sy'n gorfodi dynion i ymgodymu â chaswir. Llith i'r cedyrn yw'r gwaith apocalyptig hwn gan Owain Owain. Carwn eu gwahodd i gydio'n dyn ynddi.

Y mae cyfeiriadau yma at *Brave New World* Aldous Huxley a *1984* George Orwell; ac megis yn y gweithiau hynny ymgymerir â dangos pethau a allai ddigwydd i'r ddynol ryw rywbryd, ac yn wir heb fod yn hir iawn. Ac eto — fel y gweithiau hynny unwaith yn rhagor — y mae'n llawer mwy na chynnig i ragweld y dyfodol. Ymgais sydd yma i'n gorfodi ni i ystyried cyfyngder tyngedfennol dyn yn ein hoes ni, ymdaro'r peiriant a'r person. Nid dilyn llwybrau Huxley ac Orwell a wna Owain Owain ond yn hytrach mentro ar hyd ei ffordd ei hun gyda llawer o ddyfeisgarwch crebwyll a threiddgarwch dehongliad.

O gymharu Owain â'r ddau arall fe welir mwy nag un gwahaniaeth arwyddocaol. Yn y lleill darlunnir rhyw anesmwytho dan ormes y drefn hollgofleidiol. Yn *Y Dydd Olaf* cawn ddyn a fyn gadw ei enaid yn rhydd a'i feddwl yn annibynnol hyd y diwedd. Yn y lleill cyflwynir cyflwr gwareiddiad fel rhyw bla a feddiannodd yr hil ddynol. Yn y gwaith presennol y mae ymdeimlad llymach o argyfwng cynyddol, a diwedd y ganrif a diwedd einioes yn nesáu, a'r cyfan y tu fewn i fframwaith sy'n dangos fod oes newydd yn dilyn.

Cwyd y llyfr hwn hefyd holl broblem y berthynas rhwng y peiriannol a'r personol ym mywyd dyn ac yng nghymhlethdod ei fydysawd. Os yw'n anodd gwahaniaethu rhwng y Cyfrifydd eithaf a'r Cyfrifiadur eithaf ymgysurwch yn Omega-delta, 'pwy bynnag (neu beth bynnag) yw hwnnw'!

Ni welwyd dim byd tebyg i'r llyfr hwn yn ein hiaith o'r blaen, na dim byd hollol debyg mewn unrhyw iaith. Llawenhawn fod y math yma o ddisgleirdeb yn bosibl yn y Gymraeg.

Rhagair 2021

MIRIAM ELIN JONES

Yn 1976, lluniodd Pennar Davies ragair i *Y Dydd Olaf* gan ddatgan: 'Ni welwyd dim byd tebyg i'r llyfr hwn yn ein hiaith o'r blaen.' Wrth lunio'r rhagair yma dros ddeugain mlynedd yn ddiweddarach, dyma ryfeddu ei bod hi'n dal i fod yn nofel yr un mor arloesol a pherthnasol heddiw.

Darlun o 'Ganrif Goll' yw *Y Dydd Olaf*, a'r datblygiadau dychrynllyd sy'n arwain at weld 'Di-rywiaid' unffurf yn byw mewn rhith o fyd â glaswellt plastig a phorthiant artiffisial. Gwelwn y datblygiadau drwy lygaid Marc, sy'n disgrifio byd â chyfrifiadur, Uchel Gyfrifydd, yn dduw, a syniad i uno lleiafrifoedd y byd a chreu mwyafrif pwerus yn troi'n gyfrwng i greu cyfundrefn sy'n llethu amrywiaeth barn ac ewyllys rydd. Ymddengys fod Marc yn rhydd rhag cyflyru uniongyrchol a shibolethau diystyr (*fratolish hiang perpetshki*) Cyngor y Frawdoliaeth, diolch i linyn o blatinwm yn ei ymennydd. Fodd bynnag, golyga'r llinyn hwn o blatinwm fod modd i Marc deimlo realiti'r dyfodol dystopaidd i'r byw, ynghyd â difaru ei fod wedi gadael i'r unig ferch a garodd ar hyd ei oes, Anna, lithro o'i afael.

Yn sgil ei gefndir ym myd gwyddoniaeth, roedd Owain Owain yn ymwybodol iawn o ddatblygiadau ym maes cyfrifiaduron ac ysgrifennodd yn helaeth am botensial a pheryglon y dechnoleg fodern yma yn ystod yr 1960au, gan gynnwys erthygl ar 17 Medi 1969 yn *Y Cymro*, 'Lle mae camp…', yn trafod natur ormesol 'cwlt y cyfrifiadur'. Mynega yn yr ysgrif fod rhyddid personol yr unigolyn yn y fantol, ac amlyga '[b]wysigrwydd brwydrau lleiafrifol mewn cyfnod o hanes y byd sy'n agos iawn, iawn i bosibiliadau mwyaf erchyll unrhyw lenyddiaeth ffuglen wyddonol'. Heb os, mae'n crynhoi'n glir yma yr ysgogiad i lunio *Y Dydd Olaf* – yn y nofel, mae'r Gymraeg yn drech na'r Uchel Gyfrifydd a'i is-raglenni medrus, ac o ganlyniad, bodola cofnod Cymraeg Marc fel yr unig dystiolaeth o'r hanes. Stori am y dyn bach yn trechu'r bwystfil mawr yw *Y Dydd Olaf* yn ei hanfod, gan ein hatgoffa o bwysigrwydd y Gymraeg mewn cyd-destun global. Fel y gofynna Marc ei hun yn y nofel: 'Pa bryd mae dynion — os dynion ydyn' Nhw — yn mynd i ddysgu beth sydd fach a beth sy'n fawr, beth sy'n bwysig a beth sy'n ddibwys?'

Tua adeg ysgrifennu *Y Dydd Olaf*, cyhoeddwyd y gerdd 'Llwydni' gan Owain Owain yn *Y Faner* ar 2 Ionawr 1969. Nodir bod y gerdd wedi'i hysbrydoli gan *Brave New World* Aldous Huxley, a darlunia fyd o bobl sydd wedi'u creu'n gywrain a'u rhifo, gan frolio gwerth cymunedau bychain, hynafol: 'Pa ddrych / allasai'n well / roi lliw i'r llwyd?' Wrth edrych ar sail wreiddiol Cyngor y Frawdoliaeth yn y nofel, mae'n boenus o eironig bod dyhead Cwansa i gynnig byd gwell i drigolion ei famwlad, Affrica, yn arwain at greu byd o 'Ddi-rywiaid' gwyn eu croen. Yn wahanol i heddiw, ni fyddai darllenwyr yr 1970au wedi arfer â gweld cymeriad croenddu mewn nofel Gymraeg, ac mae ei weld fel cymeriad crwn, yn fyfyriwr deallus sy'n troi'n byped pwerus i gyfundrefn gyfrifiadurol, yn drawiadol. Nid yw'n gymeriad unochrog na chwaith yn gymeriad 'perffaith'. Yn yr un modd, mae portread Owain

Owain o berthynas rywiol ffwrdd-â-hi Marc a Siwsan yn gyfochrog â pherthynas Marc ac Anna, a'u hamseru amherffaith, yn dangos gwir gymhlethdod perthnasau pobl â'i gilydd. Ymddengys nad cyd-ddigwyddiad yw mai Marc yw'r prif gymeriad mewn byd sydd fel arall yn ceisio creu darlun o berffeithrwydd.

Mae'n debyg i Owain Owain orffen drafft o *Y Dydd Olaf* yn 1969, am iddi gael ei hanfon at gystadleuaeth y Fedal Ryddiaith yn Eisteddfod Genedlaethol Rhydaman yn 1970, dan y ffugenw 'Caethwas'. Serch bod deg ymgais wedi'u cyflwyno ar gyfer cystadleuaeth oedd yn gofyn am 'waith creadigol ar ffurf dyddiadur neu lythyrau, neu'r ddau', penderfynodd Rhiannon Davies Jones, Alun Llywelyn-Williams a Thomas Parry atal y wobr. Fe drafodwyd *Y Dydd Olaf* yn fanwl, gan nodi ei fod yn waith 'cymhleth ac uchelgeisiol' a bod yr archif ffuglennol yn 'peri straen feddyliol ar y darllenydd sy'n rhwystro iddo wir fwynhau'r gwaith'. Bu chwe blynedd arall cyn i'r nofel weld golau dydd, a chael ei chyhoeddi'r un flwyddyn ag ail nofel yr awdur, sef *Mical*. Er i'r nofel dderbyn adolygiadau digon cadarnhaol (er i adolygydd *Y Cymro* gamgymryd ei bod yn nofel i bobl ifanc wrth edrych ar ei chlawr), ni chafwyd yr un astudiaeth fanwl ohoni mewn cyfrolau academaidd. Ymddangosodd *Y Dydd Olaf* a *Mical* ill dwy yn rhy hwyr i gael eu trafod yng nghyfrol R. M. Jones, *Llenyddiaeth Gymraeg 1936–1976*, ac nid oes sôn am Owain Owain yn y *Cydymaith i Lenyddiaeth Cymru*.

Erbyn heddiw, mae ein hymwybyddiaeth o dechnoleg a datblygiadau ym maes deallusrwydd artiffisial yn well, ac mae hynny wedi cryfhau ein dealltwriaeth o gynnwys y nofel. Mae'n bwnc trafod mwy cyffredin erbyn hyn, a'r rhyngrwyd (fel y gwnaeth Owain Owain ei ddarogan mewn erthygl o'r enw 'Addysg 2,000 OC' yn 1969!) yn golygu bod pob math o wybodaeth o fewn ein gafael. Er nad yw'r 1999 a ddarlunnir yn *Y Dydd Olaf* yn ymdebygu i'n cof ninnau o 1999, ymddengys, fel y gwelwyd gyda *Nineteen Eighty-four* gan George Orwell, nad yw'r flwyddyn ei hun o bwys mawr – y rhybudd oesol sy'n dal i daro tant.

Cafodd cynulleidfa newydd gyfle i ddysgu o'r newydd am y nofel hon, gyda'r gantores Gwenno yn benthyg ei theitl a'i nodi'n ysbrydoliaeth i'w halbwm cyntaf yn 2014. Ers llwyddiant yr albwm, cyhoeddwyd y nofel ar ffurf PDF ar-lein yn 2016 ac fe'i cyfieithwyd i'r Bwyleg ac i'r Gernyweg. Anaml iawn y mae nofelau yn cael ail fywyd o'r fath! Er bod Owain Owain yn llenor brwd a phrysur – cyrhaeddodd y brig mewn nifer o gystadlaethau bychain yr Eisteddfod ar hyd y blynyddoedd a chyhoeddodd 14 o gyfrolau – ni dderbyniodd fawr o glod am ei waith. Gyda Marc yn y nofel yn nodi pwysigrwydd gwneud cofnod fel gweithred radical, bron nad yw Owain Owain yn llunio darlun o'i waith ei hun: 'Efallai nad oes angen i neb eu darllen a'u deall a'u gwerthfawrogi. Onid y creu — yr ysgrifennu — sy'n bwysig? Onid eilbeth yw'r derbyn — neu'r gwrthod? […] Yr hyn oedd — sydd — yn bwysig yw fy mod i, caethwas yr amgylchfyd, wedi gwneud ac yn gwneud popeth a ellid ei wneud.' Serch hynny, dyma gyfle bellach i nodi a dathlu gwaith Owain Owain o'r newydd, gan ysgogi cenhedlaeth newydd i ddehongli'i Chymreictod mewn perthynas (er gwell neu er gwaeth) â'i defnydd o dechnoleg.

RHAGARWEINIOL 1

Ti wyddost, ddarllenydd, mai dyddiau olaf y ganrif ddiwethaf — yr Ugeinfed Ganrif, fel y'i gelwid hi — oedd dechreuad y cyfnod newydd hwn yn hanes Daear.

Heddiw, ddeng mlynedd yn ddiweddarach, wele gyhoeddi'r dogfennau rhyfedd a phwysig hyn.

Rhyfedd — oherwydd nid oes modd i ni eu deall yn iawn; fe wyddost, ddarllenydd, mor fach yw ein gwybodaeth ddilys o'r Ganrif Goll — ac fe wyddost pam.

Pwysig — oherwydd nid oes gennym unrhyw gyfres arall o ddogfennau personol i gydio dynolryw'r ganrif hon, ein canrif ni, a dynolryw'r ganrif flaenorol — ac fe wyddost pam hynny, hefyd.

Enwir dau lyfr yng nghorff y dogfennau hyn: *Byd Newydd Dewr* a *Mil-Naw-Wyth-Pedwar*. Os deallwn yn iawn yr ychydig gyfeiriadau tuag atynt, yna colli'r ddau lyfr hyn yw'r golled drymaf o'n holl golledion; yn enwedig felly o gofio mor dyngedfennol bwysig yw'n hymdrechion presennol i ailddarganfod y gwirionedd am ein gorffennol coll.

Gwyrth oedd goroesiad yr ychydig ddogfennau personol a gyhoeddir yma. Ac amheuthun o beth i ni — sy'n credu'r hyn a gredwn — oedd darganfod, o ddarllen y dogfennau, ym mha fodd y gwarantwyd y goroesiad.

Yr ydym yn cyhoeddi'r dogfennau yn ôl y drefn y'u cyflwynwyd hwy — yn anhysbys — i ni: Dyddiadur Olaf y gŵr Marc ac ychydig o ddogfennau eraill o chwe mis olaf yr Ugeinfed Ganrif, wedi'u plethu â rhannau o Ddyddiadur Cynnar a Dyddiadur Canol y gŵr o'r enw Marc, ynghyd ag amryw lythyrau o flynyddoedd canol y ganrif honno. Oddi mewn i'r plethu hyn, gosodwyd y dogfennau yn eu trefn hanesyddol.

Rho sylw manwl, ddarllenydd, i ddyddiadau'r gwahanol ddogfennau, wrth ddarllen y llyfr.

Nid ydym ni, Uwch-bwyllgor yr Ychydig Newydd, wedi golygu'r dogfennau mewn unrhyw fodd. Ond yr ydym ni, am resymau a ddaw yn amlwg i ti, yn barnu mai doeth oedd gosod llith olaf Dyddiadur Olaf Marc yn ail ran i'r Rhagarweiniad hwn, yn ogystal â gosod rhannau o'r llith olaf yn eu lle hanesyddol-briodol ar ddiwedd y llyfr.

Anhysbys, fel y dywedasom, yw'r cyflwynydd. A dylem egluro i ti, ddarllenydd, fod y cyflwynydd anhysbys wedi golygu'r dogfennau mewn tair ffordd: yn gyntaf, drwy ychwanegu cyfieithiad o'r holl ddogfennau i un o'n hieithoedd ni; yn ail, drwy ddethol a gosod y dogfennau yn ôl y drefn a ddisgrifiwyd gennym uchod, ynghyd â'u rhannu'n ddwy ran — Rhan 1 a Rhan II; ac yn drydydd, drwy ysgrifennu hyn o eiriau ar ddiwedd y casgliad:

I Marc —

  yn gofeb ac yn gondemniad;
  yn bardwn ac yn erlyniad;
  er anrhydedd — er sarhad.
 Gwnaf hyn o'm cariad ac o'm casineb.
 Fe wyddai — ac eto, ni wyddai.

RHAGARWEINIOL 2

Wele'r llith olaf yn Nyddiadur Olaf y gŵr o'r enw Marc:

31 Rhagfyr 1999 — prynhawn
Y Dydd Olaf — olaf o'r ganrif fer, olaf o'm hoedl hir. Y dydd olaf am na fydd yna yfory — i mi nac i unrhyw un arall o drigolion Neuadd L3.

Fe fydd yna yfory i rywrai. A'r yfory hwnnw — y dydd cyntaf o ganrif newydd — trigolion Neuadd L4 fydd yn derbyn yr anrhydedd eithaf.

Ddoe oedd diwedd oes L2. Oddieithr i'r can pâr o lygaid sy'n dal i befrio'n ddall yn un o'r stordai dwfn, a'r hanner can pâr o geilliau byw sydd wedi'u rhewi'n gorn yn un o'r stordai craill, a'r miloedd o giwbiau bychain o'r asid dynol DNA-X sy'n aros yr atgyfodiad cemegol ym meddau plastig yr ystordai isaf.

Mae'r sacheidiau o belenni-porthiant mor farw â thrigolion Neuadd L2 gynt; pwy fedr feddwl am fwyd gwartheg fel parhad bywyd?

L4 yfory — nid fy yfory i. L4 hwythau yn derbyn yr anrhydedd eithaf. Dechrau canrif — diwedd oes.

Rhywsut, mae'n well gennyf fynd heddiw nag yfory! Ac os ofergoeledd sy'n noddi'r fath ymdeimlad gwrthresymegol, yna llawenychaf — onid yw'r ffaith fod gronyn bychan o ofergoeledd yn cuddio'n ddwfn yn fy ngwneuthuriad yn profi nad ydynt wedi llwyddo i'm cyflyru'n llwyr?

Ni feddyliais i erioed mai fel hyn yr ysgrifennwn y llith olaf. Fe wyddwn ers amser — cyn dechrau'r chwe mis yn y Cartref Machlud hwn — mai yma yr ysgrifennid hi. Ac fe wyddwn y disgwylid i mi ei hysgrifennu hi. Ond nid fel hyn.

Maen Nhw'n glyfar iawn — fe ddywedaf hynny amdanyn' Nhw. Neu mae O yn glyfar. Neu ddylwn i fod wedi dweud "y peth 'na"?

Yn odiaeth glyfar. Rwyf bron â chredu erbyn hyn mai'r ffordd yma yw'r ffordd; mai derbyn anrhydedd uchel — mai cyflawni fy nyletswydd pennaf — fydd digwyddiadau'r deirawr nesaf. "Fratolish hiang perpetshki!"

Ydyn', maen Nhw'n glyfar iawn. Eu clyfrwch Nhw sy'n ei gwneud hi'n bosibl i mi ysgrifennu'r llith olaf hon fel hyn — cyn oered â'u stordai, mor ddigynnwrf â thrigolion L2 ar eu ffordd i'w nefoedd, ddoe. "Fratolish hiang perpetshki!"

Ddeallais i ddim yn iawn pam eu bod Nhw'n ein gorfodi ni i gadw dyddiaduron yn ystod ein chwe mis yn y Cartref Machlud. Na pham mae'r dyddiaduron i gyd yn cael eu micro-ffilmio a'u porthi i'r Uchel Gyfrifydd. Rhywbeth i'w wneud ag Astudiaethau Cymdeithasol, rwy'n credu — darganfod gwendidau'r gyfundrefn, a ffaeleddau'r patrwm cyflyru.

Clyfar iawn. Ond heb fod yn ddigon clyfar. Maen Nhw wedi anghofio un peth: wedi anghofio fod rhan o'r rhaglen gyfieithu is-ieithoedd ar gyfer yr Uchel Gyfrifydd wedi'i dileu ers amser. A heb wybod fy mod i'n gwybod hynny!

Yr hollwybodus ei hun — yn methu â deall fy iaith fach i! Fe â'r dyddiadur hwn drwy'i grombil electronaidd heb roi camdreuliad iddo! Fydd o'n darganfod dim yn hwn sy'n waharddedig — oherwydd nid yw'n deall yr un gair o'r iaith fach ddibwys hon! Ac fe fydd popeth — y gwaharddedig a'r diwaharddedig — yn cael eu micro-ffilmio a'u storio'n ddianaf yn y cof electronaidd.

Ie — y dyddiadur yn ei grynswth, a'r cyfarwyddiadau ar sut i ddod o hyd i'r dogfennau eraill: y llythyrau a phopeth. Eu storio — gwych! Gwych! — yn y dosbarth "Dyddiaduron Olaf", is-ddosbarth "Annealladwy", is-is-ddosbarth "Nodweddion Lled-resymegol".

Rwy'n ffodus. Ffodus fod y negesau electromagnetaidd o'r gofod, o berfeddion Omega-delta, yn peri trafferth iddyn' Nhw, yn codi arswyd arnyn' Nhw. Ffodus fod cymwysterau electronaidd yr Uchel Gyfrifydd ei hun yn feidrol, wedi'r cwbl — yn teimlo'r straen o ddelio'n effeithiol â'r negesau astrus o Omega-delta, yn mynnu rhannau helaethach o'r rhaglenni cyfrifyddol ar gyfer dadansoddi'r negesau, yn disodli'r is-raglenni hynny sydd bellach (yn eu tyb Nhw) yn ddianghenraid.

Y trueiniaid! Rhaglen gyfieithu is-ieithoedd ar gyfer yr Uchel Gyfrifydd yn ddianghenraid bellach! Dyna'r oiau eto! Pa bryd mae dynion — os dynion ydyn' Nhw — yn mynd i ddysgu beth sydd fach a beth sy'n fawr, beth sy'n bwysig a beth sy'n ddibwys?

Fe fydd popeth yn awr ar gael. I'r oesoedd a ddêl — os delent. Heb iddyn' Nhw fod wedi'u llurgunio.

Ond i beth?

Pwy sy'n mynd i'w ddarllen — os bydd darllenydd? Pwy sy'n mynd i'w ddeall — os bydd deall? Pwy sy'n mynd i'w gwerthfawrogi — os bydd gwerth?

'Dyw ddim gwahaniaeth pwy. I mi, yn awr, nid hynny

sy'n bwysig. Efallai nad oes angen i neb eu darllen a'u deall a'u gwerthfawrogi. Onid y creu — yr ysgrifennu — sy'n bwysig? Onid eilbeth yw'r derbyn — neu'r gwrthod?

Dim ond un peth oedd yn bwysig i mi, dan yr amgylchiadau a fu'n bodoli yn ystod y chwe mis olaf hyn yn y Cartref Machlud: fy mod yn gwneud popeth o fewn fy ngallu (er cyn lleied ydoedd), drwy gyfrwng y dyddiaduron hyn, i danseilio'r Anwiredd Mawr. Er mwyn fy hun — yn sicr. Er mwyn y byd — efallai. Rhoi gwirionedd rhwng cloriau, a'i amddiffyn oddi wrth eu llurgunio Nhw.

Nid yw effeithiolrwydd fy nulliau yn bwysig. Nid yw llwyddiant llwyr yn bwysig. Yr hyn oedd — sydd — yn bwysig yw fy mod i, caethwas yr amgylchfyd, wedi gwneud ac yn gwneud popeth a ellid ei wneud.

Chwe munud arall. Yna, dechrau'r dadrewi. Taer o driniaeth!

Llond llwy fwrdd o finegr, ebe Joseff y barbwr, oes a fu, i lawr corn gwddf y ceiliog, dadrewi cyn ei ladd. Chest ti 'rioed well cig, blasusach cig, breuach cig — naddo myn diawl, ebe Joseff y barbwr, oes a fu.

Pum munud a theirawr. Cyn cyrraedd y nefolion leoedd — y stordai rhew a'r cynteddoedd nad oes neb yn dweud fawr o ddim amdanynt.

Pum munud cyn yr orymdaith. Megis L2 ddoe. Megis L4 yfory.

A phob rhyw yfory i eraill; nid oes terfyn ar y gyfres rifyddol. Pum munud — pedwar munud — cyn dechrau rhoi diwedd ar yr ychydig sy'n weddill o unigoliaeth y tipyn endid hwn o gnawd. Pedwar munud cyn dechrau derbyn anrhydedd pennaf Cyngor y Frawdoliaeth.

Pedwar munud prin.

Mae gennyf hawl i fod yn sentimental am gyfran o'r pedwar. Er mwyn a fu. Er mwyn Anna. Er mwyn Mam a Modryb Bodo. Er mwyn yr atgof brith o'm tad. Ac er mwyn Siwsan, hefyd — ie, pam lai? A Phedr.

Tri munud.

Pam na wnaethon' Nhw mo'u gwaith o'n cyflyru yn fwy effeithiol? Pam na wnaethon' Nhw ddim darganfod ein cyfrinach bitw — ein hanner sentimedr o blatinwm, llinyn arian ein gwahanrwydd? Y Nhw — sydd mor glyfar!

Pam gadael y gweddillion arteithiol hyn o senti-mentaleiddiwch?

Ond wrth gwrs — gallaf negyddu'r platinwm. Mae'n hawdd ei negyddu; hawdd ymdoddi i mewn i'r patrwm, troi enaid yn anadl, cydwybod yn gyhyr, a'r hunan yn ddarn o bawb. Ac fe fuasai tragwyddoldeb y deirawr nesaf yn dderbyniol.

Na — cedwais ef cyhyd, fe'i cadwaf hyd y diwedd. Byddaf farw yn ddyn rhydd.

Dau funud. Marc yw fy enw. Bron na ddywedwn — oedd fy enw. Yn ddeg a thrigain oed, dair wythnos yn ôl. Saith deg o flynyddoedd yn ôl y'm ganwyd. Cyn y cyflyru. Pan welid gwylanod uwch môr, ac y clywid y gylfinir yn galw am law. Pan dyfai mwyar ar fieri, a dail byw ar goed y Winllan.

Cyn y cyflyru? Pa gyflyru? Onid yw'r cyflyru mor hen â myfi fy hun? Mor hen â chymdeithas? Mor hen â chread yr ail o fodau dynol?

Munud — ac ychydig anadliadau rhydd yn rhodd.

Atolwg — tydi! Mae popeth yma: rhaglen pump-tri-saith-en, is-raglen dau-tri-pump-en. A'r Uchel Gyfrifydd yn methu â darllen y rhifau gwaharddedig yn fy iaith fach i!

Fe chwythai bob transistor pe gwyddai!

Darllen yr hyn a ddaw i'th ran. Telais yn ddrud amdanynt. Defnyddia hwy. Bydd wych!

Munud. I Anna. I Dduw.

RHAN 1

Dyddiadur Cynnar Marc
    o'r cyfnod 1 Medi 1948 — 15 Hydref 1949
    ynghyd â rhai llythyrau a dderbyniodd yn
    ystod y cyfnod hwnnw

    wedi'u plethu â

Dyddiadur Olaf Marc
    o'r cyfnod 1 Gorffennaf 1999 — 1 Medi 1999
    ynghyd â rhai dogfennau eraill yn perthyn
    i'r cyfnod hwnnw

Dyddiadur Cynnar Marc — 1

Medi 1948 — amser te

Mae mis Medi wedi dechrau. Fe fyddaf yn mynd i'r Coleg ddechrau mis nesaf.

Llythyr oddi wrth Modryb Bodo. Mae am alw yma i'n gweld cyn diwedd y mis. Newydd orffen papuro'r gegin yn ôl ei llythyr — pinc ac oren, synnwn i ddim!

Mam yn gwneud jam mwyar duon. Fe fu Pedr a minnau'n hel mwyar ddoe, yn y Winllan; a chyfle i drafod y Coleg a'r dyfodol yr un pryd.

Onid oeddem yn lwcus, ein dau — yn ennill ysgoloriaeth mor wych! Ac yn yr un pwnc; fe fydd cael cwmni'n gilydd yn beth buddiol.

Bûm yn Llyfrgell y Dre yn benthyca tri llyfr. Llyfr diddorol o'r enw *Byd Newydd Braf*. Hefyd: *Electroneg — Gwyddor y Dyfodol*; llyfr gwerthfawr, yn gweld ymhell. A llyfr yn rhoi crynodeb clir a dadansoddiad syml o flynyddoedd y Rhyfel: *Hwynt-hwy Biau'r Gogoniant*. Dyna un peth rwy'n ei hoffi ynglŷn â llyfrau — maent yn gwneud y gorffennol a'r dyfodol yn ddarnau o'r presennol.

Nid wyf wedi gweld Anna yn y dref ers dyddiau.

Parhad — cyn mynd i'r gwely.

Gwelais Anna yn y dref, ychydig cyn amser swper. Roedd yn mynd adref — wedi bod yn cael te gyda Rebeca. Roedd yn rhaid iddi fynd adref yn syth — ond yn fodlon i mi gydgerdded â hi i ben y stryd.

Gofynnais iddi a oedd stori Pedr yn wir. Chwarddodd

a dweud y byddai'n well ganddi ddod gyda fi na chyda Pedr.

Ond ddaeth hi ddim. Pam, tybed?

parhad.

Methu â chysgu. Mae sŵn y môr yn uwch, heno, a'r gylfinirod hefyd yn fwy swnllyd. Rwy'n cofio 'Nhad yn dweud mai galw am law y maent, ar adeg fel hyn. Roedd fy nhad yn un da am adnabod arwyddion.

Llond y tŷ o oglau jam mwyar duon o hyd. Mae'n treiddio i'r fan hyn, hyd yn oed.

Dim blas ar y llyfrau newydd o'r Llyfrgell. 'Does gennyf fawr o awydd sgrifennu, chwaith.

Rhof gynnig arall ar gysgu.

Nos da, Anna!

Dogfen Swyddogol — 1   *1 Gorffennaf 1999*

CYNGOR Y FRAWDOLIAETH

ADRAN LES

fratolish hiang perpetshki

Datganiad Gwirfoddol:

Yr wyf i, sydd â'm llofnod isod, yn wirfoddol yn derbyn gwahoddiad yr Uchel Gyfrifydd i letya yn y Cartref Machlud am gyfnod o chwe mis, o ddydd y llofnodi, er sicrhau y gostyngiad angenrheidiol yn rhif y boblogaeth allanol. Deisyfaf ar yr Awdurdodau, yn ôl cyfarwyddyd yr Uchel Gyfrifydd, i wneud y defnydd helaethaf posibl o'm holl adnoddau ar derfyn y cyfnod o chwe mis, er hyrwyddo amcanion Cyngor y Frawdoliaeth. Ac i'r perwyl hwn, croesawaf bob triniaeth, yn ystod y chwe mis ac yn unol â chyfarwyddiadau'r Uchel Gyfrifydd, a fydd yn gyfrwng i gyfoethogi'r adnoddau hynny.

Llofnod: *Marc 35/2/8/29/516*

Dyddiad: *1 Gorffennaf, 1999*.

Rhif cyfrifyddol: *ysgwydd chwith: 100010100110*

fratolish hiang perpetshki

Swyddfa yn unig:

Dyddiad croesawu: *1 Gorffennaf 1999*
Dyddiad anrhydeddu: *31 Rhagfyr 1999*
Neuadd: B7/895/2068/L3 Rhif dyddiadur: *L3/29/516*

Triniaeth: 1 __ __ __ __   2 __ __ __ __

              3 __ __ __ __   4 __ __ __ __

              5 __ __ __ __   6 __ __ __ __

Machludfa: Ll. chwith: ____   C. chwith: ____ dde ____

            Organau eraill: _____

            DNA-X: ____ uned.   Gweddill: ____ Kg.

Dyddiadur Cynnar Marc 2

30 Medi 1948

Bûm yn prynu mwy o bethau heddiw, ar gyfer mynd i'r Coleg. Fe ddaeth Mam gyda mi i brynu'r siwt. Cefais un dda, yn rhesymol, yn Siop y Bont. Wedyn cael torri 'ngwallt yn Siop Joseff. Yr hen Joseff mewn hwyliau da — llond y siop o hwyl a chwerthin! Ac arabedd Joseff mor finiog â'i raseli. Bendigedig!

Wedi trefnu gyda Phedr i'w weld yn y dref ar ôl cinio — ond dim golwg o Bedr, wrth gwrs. Wedi mynd i gaffi'r "Twb", mae'n debyg. 'Doeddwn innau ddim yn teimlo fel gwastraffu f'amser yn y "Twb" heddiw, a chant a mil o bethau yn aros am gael eu gwneud.

Modryb Bodo wedi galw i'n gweld, ac yn cael te gyda ni. Roedd yn falch fy mod yn barod i fynd i'r Coleg. "Dyfodol disglair, etc., etc., etc.!" Roedd arni eisiau gwybod y manylion i gyd am gyrsiau Pedr a minnau, ond yn amlwg yn cael trafferth i ddeall y termau gwyddonol — peth hynod, braidd, a hithau'n gymaint o hen ben! Yn llawn cyngor, fel arfer, ac yn hoffi'r siwt.

Mam yn dweud, ar ôl i Fodryb Bodo fynd, fod Modryb wedi gofyn iddi ofyn i mi — a wna i ei "chario" hi pan fydd y "diwedd" wedi dod! Wel dyna beth i'w ofyn! Feddyliais i erioed y gallasai rhywun o grebwyll Modryb Bodo roi cymaint â hynny o bwys ar hynt a helynt corff marw.

Cefais gyfle i ddarllen heno. Gorffen *Byd Newydd Braf* am yr ail dro. Anhygoel — ond hefyd yn codi ofn. Ydyw hynny'n bosibl — ofni heb goelio? Roeddwn yn teimlo fel gofyn dau gwestiwn ar ôl yr ail ddarlleniad — os daw'r broffwydoliaeth yn wir, yna pa bryd? Siawns na welaf i mo'r dydd hwnnw, pan fydd dynion wedi peidio â bod yn fodau dynol. A'r ail gwestiwn — os na ddaw'r broffwydoliaeth yn wir, pa fath o fyd fydd yn lle'r byd a ddisgrifir yn y llyfr? Mae'n amhosibl i mi eu hateb.

Mynd drwy fy nghypyrddau cyn mynd i'r gwely — stampiau a chardiau sigaréts a phopeth! "Mi a roddais heibio'r pethau bachgennaidd hyn"!! Meddwl eu rhoi i'm cefnder, ond efallai y'u cadwaf am ychydig eto. Mae'n anodd gollwng gafael.ynddynt, er nad ydynt o unrhyw ddefnydd i mi ar hyn o bryd.

Gwelais Anna ar fy ffordd yn ôl o'r dref, cyn te, ond welodd hi mohonof fi. O leiaf, hoffwn gredu na welodd hi mohonof fi. Wnaeth hi fy ngweld i, tybed? Ddylwn i fod wedi rhedeg ar ei hôl hi, tybed? Fe sgrifennaf ati. Mi ddaw y gwyliau i ben yn fuan, rŵan. Edrych ymlaen i'r dyfodol. Dim ond ychydig ddyddiau eto. Mi fydd yma ymhen dim.

Credu y cysgaf heno. Wedi blino, braidd. Gobeithio na fydd y gylfinirod ddim yn rhy uchel eu trwst.

Nos da, Anna!

Llythyr oddi wrth Anna — 1

2 Hydref 1948

Annwyl Marc,

Diolch yn fawr iawn i chi am eich llythyr a gefais heddiw. Nid oeddwn yn disgwyl llythyr oddi wrthych, ond rwy'n ddiolchgar i chi am sgrifennu ataf.

Wnes i mo'ch gweld yn y Stryd Fawr, y dydd o'r blaen. Fe fuaswn wedi'ch cyfarch, wrth gwrs, pe bawn i wedi'ch gweld. Pa reswm fyddai gennyf dros beidio â gwneud hynny? Roeddwn wedi bod yng Nghaffi'r "Twb". Trueni nad oeddech yno! Cawsom hwyl yn sgwrsio ac yn yfed gormod o goffi, fel arfer!

Mae'n ddrwg gennyf na allaf eich gweld cyn i chi fynd oddi cartref, i'r Coleg. Ydych chi wedi anghofio fy mod i'n dal yn yr ysgol? (!) Mae'n rhaid i mi fynd i'r ysgol yn ystod oriau'r dydd!

Cofiwch, Marc — nid fy newis i yw peidio â'ch gweld.

Dymunaf bob llwyddiant i chi yn y Coleg. Rydych chi a Phedr yn lwcus o gwmni'ch gilydd. Roedd y Prifathro yn sôn amdanoch eich dau yn y Neuadd; y tro cyntaf, meddai ef, i ddau ddisgybl o ysgol mor fechan ennill ysgoloriaethau mor werthfawr yn ystod yr un flwyddyn. Ei unig gŵyn, meddai ef, yw na chaiff y fraint o rannu'r dyfodol gyda chi!

Efallai yr af innau i'r un Coleg â chi y flwyddyn nesaf. Mae Dada wedi anfon am gopi o'r llawlyfr yn barod. Ac yn disgwyl i minnau ennill ysgoloriaeth fel chi'ch dau! "Gwyn y gwêl ...!"

Pob llwyddiant yn "y wlad bell"!

Yn gywir iawn,
Anna.

Llythyr oddi wrth Fodryb Bodo — 1

2 Hydref 1948

F'Annwyl Nai,

Hoffwn i ddim i ti ddechrau dy yrfa addawol yn y Coleg heb dderbyn llythyr oddi wrthyf, ac felly ysgrifennaf y llythyr hwn atat er mai ychydig ddyddiau'n unig sydd wedi mynd heibio er y prynhawn pleserus hwnnw — a'r pryd o fwyd blasus — a gefais acw gyda dy fam a thithau.

Mae'n debyg y dylwn roi cyngor i ti — ar ran dy dad, fel petai. Ar y llaw arall, nid wy'n gwybod pa hawl sydd gennyf i roi cyngor i un a enillodd ei le mor anrhydeddus mewn cylch sy'n gwbl ddieithr i mi, mewn cyfnod sy'n mynd yn fwy ac yn fwy annealladwy i mi, ac i aelod o genhedlaeth sydd — a bod yn onest — yn fy mrawychu ar brydiau.

Gydag eithriadau, wrth gwrs!

Ond credaf y dylwn roi un cyngor i ti — ni ddylai neb roi mwy nag un cyngor ar y tro, wrth gwrs. Ac mae'n debyg fod y cyngor a roddaf i ti yn un sy'n fuddiol ym mhob cylch, ym mhob cyfnod, ac i bob cenhedlaeth yn y cyfnod hwnnw.

Dewis dy ffrindiau yn ddoeth. Fe wyddost y dywediad — nad oes modd i ni ddewis ein perthnasau, ond mai ni'n hunain sy'n dewis ein cyfeillion. Dewis yn ddoeth. Mae ffrindiau dyn fel ei silff lyfrau — yn gywirach adlewyrchiad ohono ef a'i gymeriad a'i bersonoliaeth na dim.

Gwna gyfeillion i ti dy hun — ond dewis y cyfeillion hynny gyda phwyll mawr. Mi wn i na wnei di byth adnabod neb yn iawn, ond ceisia — o leiaf— eu hadnabod yn weddol drwyadl cyn clensio'r cyfeillgarwch.

Wedi dechrau pregethu fel hyn, rwy'n ysu am gael dweud mwy. Ond rhaid i mi fod yn driw i'r hyn a ddywedais am un cyngor ar y tro!

Na — rwyf am gyfaddawdu. Ac fel pob rhyw bregeth-wr a roddodd ormod o amser i ben cyntaf ei bregeth, ni wnaf ond enwi'r ddau arall — cofio mai heddiw, nid rhywbeth yn y dyfodol, yw bywyd; a chofia fod pob dyn yn haeddu parch onid yw'n dangos, drwy'i ymddygiad a'i weithredoedd, nad yw'n deisyfu cael ei barchu.

A dyna'r cyngor. Neu'r cynghorion! Maddau i mi os ydynt yn ddianghenraid; derbyn hwy, os mynni, fel ymgais gan un o genhedlaeth flaenorol i leddfu ychydig ar ei chydwybod. Mae'r sylfaen a osodwyd gan fy nghenhedlaeth i, ar gyfer adeiladu dy genhedlaeth di, yn anghrefftus iawn. Mae'n llawn craciau — a'r cyfan a allwn ni ei wneud ynglŷn ag ef yw ceisio egluro i'r adeiladwyr newydd sut mae codi wal gref ar sylfaen wallus.

Druan ohonoch! Fe ddywedais eich bod yn fy mrawychu fel cenhedlaeth — tybed nad cnofeydd fy nghydwybod i fy hun sy'n meithrin y braw?

Rwyf newydd ailddarllen yr hyn a ysgrifennais uchod. Mae'n wahanol iawn i'r hyn a fwriadwn ei ysgrifennu at fachgen ieuanc ar drothwy antur fawr. Ond fe'i gadawaf fel ag y mae — megis Omar gynt.

Mae gennyf un ffafor i'w gofyn i ti. Rwyf eisoes wedi'i chrybwyll wrth dy fam, ac efallai'i bod hi wedi'i thrafod â thi.

Fel y gwyddost, rwy'n mynd yn hŷn! Ac wedi hen gyrraedd oed yr addewid. Pan oeddwn yr un oed â thi, roedd y syniad o farw yn beth dychrynllyd, a chredwn (ac ofnwn) mai cynyddu a wnâi'r dychryn gyda'r blynyddoedd. Ond nid felly — mae'r ofn a'r dychryn yn lleihau. A ddealli di hyn? — fod y syniad o farw — o reidrwydd marwolaeth — yn tyfu gyda'r blynyddoedd aeddfetaf yn syniad pleserus — na, nid pleserus, ond derbyniol.

Nid fy mod yn deisyfu marw, ond fy mod yn gwybod, pan ddaw'r dyddiau olaf, y byddaf yn fodlon — efallai'n fwy na bodlon.

Fe wyddost fy mod yn proffesu Crist, ac yn credu nad bedd yw'r diwedd. Eto i gyd, mae treiglad y blynyddoedd wedi creu newid arall ynof — mae'r weithred olaf, y dyletswyddau olaf, yn tyfu'n bwysicach. Ni allaf egluro hyn — dim ond nodi'r ffaith. Neu — tybed? — ai'r byw sy'n berchen marwolaeth, a'r marw biau bywyd?

Hyn oedd y ffafor — hoffwn feddwl y byddi di yn un o'r pedwar ar y daith olaf. Fe fydd yn hawdd i ti roi ateb, drwy dy fam; ac mae dy fam a minnau'n gallu trafod bywyd a marwolaeth gyda'r un naturioldeb â dynion yn sgwrsio am y tywydd neu gêm o bêl-droed!

Marc annwyl! Ond dyma lythyr i anfon atat ar achlysur fel hyn! Mae'n well i mi roi taw arni — mae fy henaint yn dechrau dangos!

Pob dymuniad da i ti, Marc. Pob bendith. A gwna'r hyn a wnawn i yn dy oed di — cael llond trol o hwyl!

Rwy'n amgáu anrheg fechan — i helpu'r hwyl!

Duw'n rhwydd i ti, Marc.

    Yn annwyl iawn,
        dy Fodryb Bodo.

Dogfen Swyddogol — 2   *1 Gorffennaf 1999*

CYNGOR Y FRAWDOLIAETH

ADRAN DDOETHINEB — IS-ADRAN NEWYDDION

fratolish hiang perpetshki

Ystadegau Geni: 1-7-99

Gwryw	-	5 Kilo-uned
Benyw	-	5 Kilo-uned
Di-ryw	-	7 Kilo-uned

Cronfeydd:

Organau	-	100.37% o'r gofyn
DNA-X	-	100.26% o'r gofyn

Tiriogaethol:

Planed A 72 - parheir gyda'r cynllun gwreiddiol
Planed A 71 - cwblhawyd y cynllun gwreiddiol
Planed A 70 - dechreuwyd ar yr ail gynllun

Arall:

Llawenhawn ym mharhad llwyddiannus yr Uchel Gyfrifydd i ddadansoddi'r negesau electromagnetaidd o Omega-delta. Datgelir y wybodaeth newydd yn ei chyfanrwydd yn aeddfedrwydd yr amser. Yn y cyfamser, gorfoleddwn yng ngallu'r Uchel Gyfrifydd i adweithio mewn modd brawdoliaethol i'r dadansoddiadau.

fratolish hiang perpetshki

Dyddiadur Cynnar Marc — 3

5 Hydref 1948

Am y Coleg yfory! O'r diwedd, caf ddechrau byw!!

Mae popeth yn barod. Y dillad newydd wedi'u prynu, a Mam wedi trwsio'r hen rai, a phopeth wedi'u pacio'n ofalus. Fe brynaf y llyfrau ar ôl cyrraedd; mae yna siop ail-law yn ymyl yr Hostel, rwy'n deall. Serch yr ysgoloriaeth, fe fydd angen bod yn weddol ddarbodus.

Fe fûm am dro ar hyd y traeth, brynhawn heddiw. Heibio i'r Winllan. Ychydig iawn o'r dail sydd wedi troi'u lliw. Welais i fawr o neb ar y ffordd — dim ond gwylanod ym mhobman. Dim golwg am Anna yn unman.

Galw i mewn i weld Pedr ar fy ffordd yn ôl. Yntau'n barod at fory. Mae'r llyfrau — rhai newydd sbon — ganddo'n barod. Cytuno ag ef i gyfarfod yn yr orsaf fory. Ei fam yn garedig iawn — cynnig te. Ond roeddwn am gael te heddiw gyda Mam — hwn oedd y te olaf am ysbaid. Mam yn boenus o nawddogol drwy gydol y pryd — a minnau, yn anfwriadol bron, yn amddiffyn fy hunan drwy ymateb yn fwyfwy anniolchgar. Mam druan. Mae'n drueni na dderbyniais wahoddiad mam Pedr i gael te yno.

Rwy'n sgrifennu hwn — fel bob amser — yn fy llofft. Newydd gael swper. Roeddwn wedi meddwl y byddai gennyf lawer i'w ddweud heddiw — o bob diwrnod — ond mae'n anodd gwybod beth i'w sgrifennu. Gormod o ddewis — o blith manion dibwys. Ond mae yna un peth da yn deillio o gadw dyddiadur — fe'ch gorfodir i feddwl beth sy'n bwysig, beth sydd ddim.

Mae'n debyg y cadwaf ddyddiadur am fod arnaf eisiau

sgrifennu — a chadw dyddiadur yn rhwyddach ffordd o wneud hynny na'r un ffordd arall. Hefyd, mae'n gofnod — er na fu llawer o ddim i'w gofnodi hyd yn hyn. Fe fydd yn well o fory 'mlaen — mwy o ddigwyddiadau i'w cofnodi, a'r rheiny'n bwysicach digwyddiadau.

Beth fydd hanes y dyddiadur hwn, tybed? Gallaf ddychmygu fy hun yn ei ddarllen — yn ddeg a thrigain oed! — mewn cadair esmwyth yn y gornel! Os deil y papur cyhyd — dros hanner canrif!

Ble, tybed? A chyda phwy?

Ond mi wn i pwy!

Rhaid i mi ateb llythyr Anna cyn mynd i'r gwely. Methais â'i gweld yn unman. Rhaid i mi ateb llythyr Modryb Bodo, hefyd.

Fe fydd y ddau lythyr yn anodd. Mi wn beth sydd gennyf i'w ddweud wrth Anna, ond nid wy'n gwybod sut i'w ddweud. A 'does gennyf ddim syniad beth i'w ddweud wrth Modryb Bodo — roedd ei llythyr mor "angheuol"! O leiaf, fe gaf ddiolch am y papur pumpunt. Ac wedi meddwl — syniad da! — fe anfonaf gerdyn post ati, yfory, o'r Coleg: un lliwgar — mae'n hoff iawn o liwiau!

Dyna ddigon am heddiw. Gormod, efallai. Eto, ni sgrifennais ddim o'r pethau a fwriadwn eu hysgrifennu. Fe fu felly drwy'r dydd — y bwriad a'r weithred ar wahân; bron na ddywedwn — yr ewyllys a'r corff ar wahân. Ac fe fu rhyw deimlad anesboniadwy o fod yn "wahanol" i mi fy hun gyda mi drwy'r dydd. Rhyw ansicrwydd: pwy ydwyf? beth ydwyf? pam? A chael fy hun yn hofran mewn gwagle, rhwng dau fyd. Theimlais i erioed fel hyn o'r blaen.

Gobeithio y bydd Mam yn iawn fory, ac yn ystod yr

wythnosau nesaf. Fe fydd yn teimlo'n unig ar ôl i mi fynd, a'r tŷ yn llawn o'r gorffennol. Ond mae mam Pedr yn siŵr o ddod i'w gweld yn aml, i gael "cymharu nodiadau" a phorthi gobeithion. Ac fe ddaw Modryb Bodo draw yn weddol aml, siŵr iawn. Rhwng Modryb Bodo a mam Pedr, fe fydd Mam yn cael nefoedd a daear i frecwast, cinio a the! I swper hefyd, os bydd Modryb Bodo'n aros yma dros nos.

Fe fyddaf yn cysgu'n rhywle arall, nos fory. Mae'n deimlad rhyfedd.

Rwy'n sicr y bydd popeth yn iawn. Pam na ddylai fod? Rwy'n edrych ymlaen i'r bywyd newydd — byd newydd!

Os llwyddais i ennill ysgoloriaeth mor dda o'r lle hwn — yfory, fe enillaf y byd!

Mae'n hwyrach nag a feddyliais. Gwell i mi fynd i gysgu. Fe fydd yn fory ymhen dim.

Dyddiadur Olaf Marc — 1

1 Gorffennaf 1999 — bore

Ysgrifennwch, medden Nhw! Nid ydyn' Nhw'n gwybod fy mod i'n wahanol i'r Lleill. Nid ydyn' Nhw'n gwybod am y platinwm.

Gwnaf — fe ysgrifennaf! Gydag eofndra'r sawl a ŵyr na ellir ei ddal yn pechu. Gyda bodlonrwydd y sawl a ddarganfu amherffeithrwydd y perffaith. Gyda sêl y sawl a gred fod ei waith yn rhan o'r dyfodol.

Cawsom groeso brwd yn y bore. Ddwy awr yn ôl? Dwy awr yn y Cartref Machlud — ac rwy'n sôn am "y bore" fel petai'r munudau hyn yn perthyn i gyfnod arall, pell.

'Doedd dim gobaith dianc. Dyna ran o'u clyfrwch Nhw. Deuthum yma fel y Lleill — â gwên ar fy wyneb. Yn wirfoddol, megis. Ond pa ddewis oedd gennyf? Fe ddaw'r arwydd lleiaf, mwyaf di-nod, o aneffeithiolrwydd y cyflyru ag archwiliad manwl yn ei sgil — a dyna ddiwedd.

Yma, o leiaf, mae sicrwydd am chwe mis arall o fodolaeth. A pha beth bynnag yw gwneuthuriad gobaith, ystrydeb yw dweud mai bodolaeth — amser — yw ei unig elfen anhepgor.

Ac yma — os cywir yw'r hyn a glywais cyn dod yma — mae gobaith am fedru trosglwyddo rhywfaint o'r gwirionedd i'r oesoedd a ddêl.

Ie — mae'n ymddangos fod yr hyn a glywais am y dyddiaduron yn wir. Dyma'r prawf — o'm blaen yn awr. Beth am y wybodaeth arall a gefais — nad yw rhaglen cyfieithu is-ieithoedd yn rhan o bersonoliaeth yr Uchel Gyfrifydd mwyach? Caf wybod yn fuan a ydyw'r wybodaeth honno'n gywir — yfory, fan hwyraf!

Os ydyw, cedwir peth o'r gwirionedd, yng nghof electronaidd yr Uchel Gyfrifydd ei hun, i'r dyfodol. Ond os anghywir ... druan ohonot yfory, Marc!

Pe bai gwin gennyf, fe yfwn i Omega-delta — pwy bynnag (neu beth bynnag) yw hwnnw! Hir oes a nerth i'th fraich, Omega-delta! Dal ati — a chynydda'r cnofeydd yng nghrombil electronaidd yr Uchel Gyfrifydd!

Mor hawdd yw'n cyflyru! I mi, hyd yn oed — un o'r Ychydig dethol sy'n berchen cyfrinach y platinwm — mae'r Uchel Gyfrifydd yn fwy o ddyn nag o beiriant. Mae ganddo "bersonoliaeth", a "chnofeydd yn ei grombil"!

Peiriant yn ddyn — a dynion yn beiriannau.

Pam y trefnwyd i'n cael ni yma yn rhith dynion cyflawn? Yn fodau annibynnol, teimladwy, gwahanol? Pam y cynllunio manwl, a'r is-raglenni cyfrifyddol cymhleth a chynhwysfawr, a'r patrymau cyflyru cywrain — ai er mwyn creu'r darlun hwn o ddynion rhydd yn cerdded yn llon drwy byrth y Cartref Machlud?

I fodloni pwy? I'w bodloni Nhw? Neu'r Uchel Gyfrifydd ei hun? Ond i beth?

Pam bod angen rhith-fyd o fodau dynol, rhydd eu hewyllys, arnyn' Nhw? Ai rhyw adlais o gydwybod gyntefig, y methwyd ei chyflyru? Neu os yr Uchel Gyfrifydd sy'n deisyfu'r ffug-ddarlun o fyd rhydd a dynion sofran — pam ac i beth? A oes gwerth materol, ffisegol, electronaidd i ffantasi o'r fath? A oes ar y "diddyneiddiwr" ei hun angen rhith-fyd o ddynion rhydd er mwyn gwarantu effeithiolrwydd ei gynlluniau?

Gwn ein bod yma — yn y Cartref Machlud — oherwydd ein "hadnoddau". Gwn mai amcan y chwe mis yw cyfoethogi'r "adnoddau" hynny. Gwn mai defnydd crai ydym — i greu bywyd yn ôl eu diffiniad Nhw. Tybed, gan hynny, mai'r rheswm dros greu'r rhith-fyd hwn o fodau rhydd yw hyn: nad yw parhad bywyd — o unrhyw fath, ac am resymau nad ydym ni ddim yn eu dirnad — ddim yn bosibl heb "ryddid" o ryw fath? Ie — fod eu "bywyd" Nhw yn dibynnu ar ein "rhyddid" ni; boed y naill, fel y llall, yn ffug ai peidio?

Nid wyf yn gwybod. Hyn, yn anad dim, yw'r dirgelwch eithaf.

Do — cawsom groeso brwd. Rhyfedd meddwl eu bod Nhw, hyd yn oed, yn parhau i ddefnyddio'r act symbolaidd o ysgwyd llaw.

Mor annaturiol oedd cyffyrddiad eu croen. Croen dynol — un waith. Mae'n debyg nad oedd y Lleill — fy "nghyd-gartrefwyr" yn L3 — y diblatinwm — yn sylweddoli mor annaturiol oedd y cyffyrddiad.

Sylweddoli? Oes unrhyw "sylweddoli" yn perthyn i'r Lleill erbyn hyn? Onid adweithiau cyflyredig, yn unig, yw symudiadau'r Lleill — o'r diwedd?

Yn sicr, nid oedd annaturioldeb croen y dwylo a'n cyfarchai ni, drigolion L3, yn ysgogi unrhyw deimlad neu adwaith anffafriol yn y Lleill. Nid oes is-raglen yn eu rhaglen-gyflyru sy'n darllen: "Digwyddiad: cyffwrdd â'u croen Nhw; Adwaith: symtomau digwyddiad annatur-iol." Gan hynny, nid oes modd iddynt adweithio'n anffafriol i'r cyffyrddiad.

Cyffyrddiad croen â chroen. Y bore yma, i mi, roedd gwefr yn y cyffwrdd.

Gwefr ofn?

Dwywaith — flynyddoedd meithion yn ôl, cyn gorseddu'r gyfundrefn bresennol — y cefais brofiad cyffelyb o'r blaen.

Yr ail o'r ddwy oedd gyda Mam. Cyffyrddiad olaf fy ngwefusau i â chroen ei thalcen hi yn wefreiddiol. Gwefr ofn? Nage. Dim ofn. Dim emosiwn o unrhyw fath, onid yw absenoldeb pob emosiwn yn emosiwn ynddo'i hun? Dim. Dim adwaith, dim adnabyddiaeth. Dim dim. Dyna pam yr oedd mor wefreiddiol — y diffyg ymateb llwyr, llwyr, llwyr. Croen yn gwbl anymwybodol o gyffyrddiad croen. Dim ymdeimlad. Dim cydymdeimlad. Dim ymwybyddiaeth o oerni, chwaith. Dim ond pellter gwag, dideimlad. Arwahanrwydd digyswllt yr agosrwydd ofnadwy hwnnw. Cyffwrdd heb fedru cyffwrdd; yn agos, agos, a'r gagendor yn anfeidrol fawr. A'r wefr ryfedd honno, negyddiaeth berffaith o bob gwefr a fu erioed — o wefr y sugno cyntaf i wefr yr adnabyddiaeth olaf — yn trydanu'r croen.

Gydag Anna roedd y gyntaf. Yn yr ysgol. Ym mherffeithrwydd y cyffyrddiad gwyryfol cyntaf. Digwyddiad syml — benthyca llyfr. Bysedd yn cyffwrdd bysedd. Yn ddamweiniol, os damweiniol hefyd. Croen yn cusanu croen, mewn diniweidrwydd llwyr. Am eiliad yn unig — am ennyd. A'r cyffyrddiad syml yn parlysu'r corff i gyd â gwefr drydanol, arteithiol, hollol real.

Gwyddwn y pryd hynny am Anna. A wyddai hi? Y pryd hynny — neu unrhyw dro?

Anodd credu nad oedd yn gwybod. Onid oedd y wefr yn gorlifo drwy'i chorff hithau, hefyd? Onid y cydymwybod a greodd y wefr?

Daeth adlais — adleisiau — droeon ar ôl hynny. Pob un yn wahanol. Y wefr o ddarganfod realaeth yr hyn a ddychmygwyd cyhyd — ydyw, mae'r croen yn wyn ac yn llyfn ac yn gynnes ac yn bod. A'r wefr o ddarganfod yr hyn nas dychmygwyd. A'r wefr a dardd o ddarganfod nad gweithred gnawdol yn unig yw'r ymblethiad cyrff.

Sut y medraist ti anghofio hyn i gyd, Anna? A wnest ti anghofio? Ac oni wnest, pa fodd mae egluro —

Na — rwy'n crwydro. Yn tresmasu. Nid dyna fy ngorchwyl. Pa fudd sydd i'r dyfodol mewn ymgais garbwl fel hyn i ddadansoddi hen argymhellion — gyda ffeithiau aneglur ac anghyflawn?

Disgybla dy hunan, Marc — gwna'r ychydig sy'n fuddiol ac yn weddus i ti ei wneud.

Purion. Ysgrifennaf — heb nodi. A chofio — heb atgof. A'r cyfan i ti, ddarllenydd anhysbys — heb adnabod dy gyfnod, na gwybod dy dras, na dychmygu dy ddyheadau.

Heddiw, chwe mis cyn diwedd yr ugeinfed ganrif, yn y flwyddyn mil-naw-naw-naw o oed Crist — Crist? A ŵyr dy gyfnod di am un o'r enw Crist?

Mor anodd yw rhoi gwirionedd ar bapur! Lle i ddechrau? Beth i'w esbonio? Pa ddirgelion o'n heiddo ni sy'n glir a syml i dy gyfnod di? Pa wirioneddau amlwg o'n heiddo ni sy'n ddirgelwch llwyr i ti a dy fyd?

Hon yw'r blaned a enwir Daear. Ond fe wyddost hynny? Yn nyddiau Cyngor y Frawdoliaeth — a'r Uchel Gyfrifydd — a Nhw. A'r Lleill, wrth gwrs. A'r Ychydig — Pedr a minnau a'r ychydig eraill sy'n berchen cyfrinach y platinwm gwrthgyflyru.

Fe wyddost beth yw ewyllys rydd? (Gwyddost fwy na myfi os gwyddost hynny!) Ond na — mewn difrif — mae gennyt ryw syniad — fel fi — beth yw ystyr hynny. Mae'r Lleill wedi'i golli'n llwyr, yn ôl pob golwg— eto, nid wy'n hollol sicr. Dilëwyd ef — yn gyfan gwbl, efallai — gan y cyflyru; o leiaf, dileir ef yn llwyr yn ystod darllediadau'r pelydrau cyflyru.

A Nhw? Mae'n anodd — yn amhosibl — dweud. Mae rhywfaint o ewyllys rydd ganddyn' Nhw o hyd, efallai — ar adegau. Dyn a ŵyr!

Ni — yr Ychydig — yn unig sy'n berchen ar yr hyn a ddeallaf i wrth ewyllys rydd. Cant i gyd, efallai, ar wyneb daear? A chyda ninnau, hefyd, daw adegau pan mae'r platinwm yn colli'i effeithiolrwydd — pan fo'n meddyliau yn gwisgo geirfa iaith synthetig y Frawdoliaeth, ac yn tresmasu i feysydd y syniadau gwaharddedig, a thrwy hynny'n sugno'r pelydrau cyflyru, yn anterth eu nerth, i'n hymenyddiau'n hunain. Y pryd hynny y try dyn yn wallgof — dros dro.

Cofia hyn, ddarllenydd, wrth ddarllen y dyddiadur — nid myfi'n unig sy'n ei ysgrifennu bob amser. Weithiau, fe weli hyn yn amlwg; dro arall, nid oes a'i gwêl.

Atolwg! Er dy fwyn di, rhof gynnig arni! Meddyliaf — yn yr iaith synthetig — am yr Uchel Gyfrifydd — yn Ddyn ac yn Beiriant, yn darddle Ysbryd Brawdoliaeth. Ceisiaf ddadansoddi'r berthynas — mae'n waharddedig — rwy'n dal i feddwl drwy gyfrwng yr iaith synthetig — mae fy meddyliau'n tresmasu — mae'r poenau'n dechrau — mae'r pelydrau — paid â darllen — rhaid sgrifennu — paid â fratolish hiang perpetshki

fratolish hiang perpetshki

fratolish wrth gwrs mae Anna'n wahanol nid oes neb ond Anna'n gwybod nid yw Pedr yn gwybod hiang perpetshki

fratolish hiang un gobaith negesydd Omega-delta pwy yw? yn creu difrod yng nghynlluniau perpetshki

fratolish hiang perpetshki

fratolish naw meddai'r cloc yn nhŵr y Coleg brysia Pedr mae Siwsan a Mari'n dod lle mae Cwansa wyt ti am alw Cwansa rho gnoc ar y wal Pedr hei Cwansa rho hiang perpetshki

fratolish hiang perpetshki

fratolish hiang fedrwn i ddim gwrthod hynny Modryb dyma'r peth lleiaf mi ges i bumpunt ganddi unwaith gwnaf wrth gwrs Modryb mae'n werth pum punt bron i mi â dweud gyda phleser wrthi call a dawo mae'n well i mi perpetshki

fratolish hiang perpetshki

fratolish hiang perpet Mam Mam ond 'dydy hi ddim yn ateb os gwn i pam brechdan jam digri te Mam Mam ydy honna'n fanna ynte wrth gwrs pwy arall ond ddim Mam ydy hi chwaith ie nage ie nage cau dy hen geg a dangos barch perpetshki

fratolish hiang Anna Anna Anna gwyn a llyfn a llyfn a gwyn a phwy a ŵyr neb ond Anna beth a ddigwyddodd yn y cyfarfod perpetshki

fratolish dyn du ydy Cwansa dyn du ydy Duw Cwansa mae'n debyg mai du ydy'r Uchel Gyfrifydd i Cwansa hiang perpetshki

fratolish hiang perpetshki

fratolish Siwsan Siwsan Siwsan Siwsan Siwsan Siwsan Siwsan Siwsan Siwsan hiang perpetshki

fratolish hia maen Nhw'n gwneud jam mwyar duon blasus yn llawn cynrhon blasus a gylfinir blasus hefo L2 a L4 ac yn yfed coffi yn y "Twb" ond 'dydy'r Uchel Gyfrifydd ddim eisiau mwyar duon na chynrhon na choffi mae o'n bwyta bywyd yn lle bwyta bwyd perpetshki fratolish hiang perperperperperperperper ...

Llythyr oddi wrth ei fam — 1

7 Hydref 1948

F'Annwyl Fab,

Rwy'n sgrifennu hwn cyn mynd i'r gwely, er mwyn i mi gael ei bostio bore fory, wrth negesa yn y dref.

Wel — dyna'r diwrnod llawn cyntaf drosodd! Gobeithio y gwnest ti a Phedr gyrraedd yn ddiogel ddoe, a'ch bod wedi dechrau setlo lawr heddiw. Mae'n debyg dy fod yn gweld pobman yn ddieithr ac yn wahanol, ond fe ddoi i arfer â dy fyd newydd yn fuan, rwy'n siŵr.

Roeddwn i'n teimlo'r tŷ yn wag heddiw. Ond diolch i'r drefn, fe ddaeth mam Pedr yma ar ôl te, ac arhosodd am awr. Buom yn sgwrsio am bopeth, ond yn bennaf amdanoch chi'ch dau, wrth gwrs. Fel roeddech yn mynd i'r ysgol am y tro cyntaf gyda'ch gilydd, eich dau — ac yn awr yn y Coleg gyda'ch gilydd.

Cawsom fwynhad mawr o'r sgwrsio — adrodd yr hen straeon i gyd! Sôn am y dyfodol, hefyd, ac yn rhyw geisio dyfalu beth oedd gan y dyfodol mewn stôr i chwi'ch dau. A thestun diolch, wrth gwrs, fod y Rhyfel drosodd cyn i chi ddod i oed, a chwithau eich dau yn glir o'r erchyllterau.

Mam Pedr yn fy atgoffa o'r ffrae fawr a fu rhyngoch eich dau ym mharti pen-blwydd Anna yn saith oed — pwy oedd yn mynd i'w phriodi hi? A minnau'n ei hatgoffa hithau o'r ddeuawd fythgofiadwy honno yng nghyngerdd y plant — dy lais di ar fin torri, a Phedr yn dôn-fyddar, bron. 'Doeddem ni fawr â meddwl, yr adeg honno, mor ddisglair oedd y dyfodol i fod i chwi'ch dau.

Mae am alw yma'n aml, meddai hi. Fe fyddaf yn falch

o'i chwmni — mae gennym gymaint o bethau i'w trafod. Rhoddais botiad o jam mwyar duon iddi fynd adref — y mwyar wnest ti a Phedr eu hel yn y Winllan. Roedd yn hoffi'r syniad yn arw.

Fe ddaeth llythyr oddi wrth Modryb Bodo heddiw. (Gyda llaw, gobeithio dy fod wedi anfon llythyr ati ddoe, ar ôl cyrraedd, i ddiolch iddi am yr anrheg a'r llythyr.) Mae am alw yma wythnos nesaf, i gael trafod "rhai pethau pwysig", meddai hi. Mae arnaf flys gofyn iddi aros yma fwrw'r Sul — hynny yw, wrth gwrs, onid wyt ti'n bwriadu dod adref fwrw'r Sul. Fe fyddai'n newid bach i ti, ac yn rhoi cyfle i mi gael bwrw golwg dros dy bethau — fe fydd angen pwyth neu ddau, yma ac acw. Roedd mam Pedr, hefyd, yn rhyw feddwl efallai y bwriech eich Sul gartref cyn bo hir.

Wnei di roi gwybod i mi? Yna, onid wyt yn bwriadu dod, neu'n methu â dod, fe gaf anfon at Modryb Bodo i ddweud wrthi fod croeso iddi yma. Fe fyddai'i chwmni mor fendithiol — mae mor gadarn ei syniadau, a theimlaf ryw sicrwydd ar ôl bod yn ei chwmni.

Sut le yw'r Hostel? Ydyw'r ystafelloedd yn gynnes? Oes yna ddigon o ddillad ar y gwely? Rwy'n falch iawn o feddwl fod gennyt gwmni da. Oes angen rhywbeth arnat ti? Ydyw'r bwyd yn iawn? Os wyt ti'n dod adref fwrw'r Sul, fe fydd modd i ti fynd â rhywbeth yn ôl gyda thi — teisen neu bot o jam, efallai. A chofia ddod â dy ddillad i'w golchi, pan fyddi'n dod.

Rwy'n edrych ymlaen yn arw i gael clywed yr hanesion i gyd.

Cofia fi at Bedr.

Bendith arnat ti, Marc.

                    Dy fam.

Dyddiadur Cynnar Marc — 4

7 Hydref 1948

Yma o'r diwedd!

Dyma'r cyfle cyntaf i sgrifennu yn fy nyddiadur ar ôl cyrraedd. Ni wn i ddim i ble'r aeth ddoe — ond fe aeth!

I ddechrau o'r dechrau: cawsom siwrna iawn yn y trên ddoe, a chwmni difyr yn ystod hanner olaf y daith — dwy ferch sy'n dechrau yn y Coleg yr un pryd â ni'n dau. Ond darllen y celfyddydau mae'r ddwy. Mari a Siwsan yw eu henwau. Roedd Mari'n fy atgoffa o Anna, ac felly bûm yn sgwrsio mwy â Siwsan. Mae Pedr wedi trefnu i ni eu gweld eto — cawn weld. Ni welsom mohonynt ar ôl cyrraedd ddoe, er i ni fynd i'r "Cyngerdd Croeso" neithiwr. Pedr yn siomedig iawn.

Mae'r Hostel yn wych! Ystafell gyfforddus, drws nesaf i ystafell Pedr. Dodrefn newydd, modern, a phopeth yn raenus. A'r bwyd yn dda.

Cysgais yn weddol sownd neithiwr. Rwy'n cofio deffro unwaith — roedd yn rhy dywyll i weld dim — a heb sylweddoli lle'r oeddwn, yn methu'n glir â deall pam nad oedd sŵn y môr i'w glywed! Peth hynod, braidd — oherwydd nid wyf yn ei glywed gartref, chwaith, er ei fod o yna, ac yn ddigon swnllyd — wedi hen arfer ag ef, mae'n debyg.

Bachgen du sydd yn yr ystafell arall, drws nesaf — minnau rhwng ei ystafell ef ac ystafell Pedr. Hon yw ei ail flwyddyn, ac fel ninnau'n dau yn darllen Peirianneg Drydanol, Ffiseg a Mathemateg. Mae'n fachgen disglair

iawn, yn ôl yr hyn a glywaf. Ac fel ninnau, Electroneg yw
ei brif ddiddordeb. Cwansa yw ei enw, o'r Traeth Aur.
Cred fod dyfodol pwysig i Electroneg, ac mai Electroneg
Gymhwysol fydd y cyfrwng i godi safon byw y gwledydd
lleiaf datblygedig, ac i adfer rhyddid i'r cenhedloedd
bychain.

Nid yw'r darlithiau wedi dechrau eto — dim ond y
"cyfarfodydd gweinyddol". Teimlaf braidd yn fychan yn
y neuaddau, yng nghanol pawb — ond yn gawr yn y fan
hyn, yn fy ystafell fy hun!

Mae Cwansa a Phedr a minnau am fynd i'r ail o'r
"Cyfarfodydd Croeso" heno. Pedr yn gobeithio y bydd
Mari a Siwsan yno. Rhywsut, rwy'n falch fod Cwansa'n
dod hefyd.

Heb gael cyfle i sgrifennu at Mam a Modryb Bodo eto.
Fe sgrifennaf cyn mynd i'r gwely oni fydd y cyfarfodydd
yn hwyr iawn yn gorffen. Hefyd at Anna, rwy'n meddwl.

Cefais gyfle i fynd i'r siop llyfrau ail-law yn ymyl y
Coleg, a chael nifer o fargeinion. Roedd Pedr wedi prynu
llyfrau newydd cyn dod.

Fe ddylwn gael hwyl go lew ar bethau yma. Mae'r
arwyddion i gyd yn dda. Rwy'n edrych ymlaen yn arw at
y gwaith — fe fydd yn newid o'r ysgol. Dechreuais
ddiflasu ar y gwaith yno — fe fydd yn wahanol yma. Mae
popeth mor wahanol yma — fel byd newydd, bron.

Rwy'n benderfynol o wneud yn dda. Hyd yn hyn,
cefais eitha hwyl ar bethau. Ac os llwyddiant gyda
phethau fel ag yr oeddynt, yna'n sicr fe ddaw llwyddiant
mwy gyda phethau fel ag y maent.

Mae'r dyfodol yn mynd i fod yn sialens ardderchog.
Ysaf am gael wynebu'r sialens. Mae cymaint i'w
wneud — ac fe'i gwnaf. Rhywsut, teimlaf fod bywyd

wedi dechrau o'r diwedd — a minnau ar drothwy'r dyfodol.

Mam druan — mae'n disgwyl pethau mawr. Modryb Bodo hefyd.

Beth mae Anna'n ei wneud yn awr, tybed? Pedr yn curo'r wal — rydym wedi cynllunio "telegraff gnoc" yn barod! Fy nhro i yn awr, i guro'r wal ar Gwansa. Neges: "Amser mynd!"

Llythyr oddi wrth Anna — 2

9 Hydref 1948

Annwyl Marc,

Roeddem yn falch o dderbyn llythyr oddi wrthych bore heddiw, er i mi gael fy synnu braidd pan ddywedodd Dada wrthyf fod llythyr i mi — "Oddi wrth Marc, rwy'n meddwl!" Sut yn y byd mawr roedd o'n gwybod, tybed?

Wythnos yn unig sydd wedi mynd heibio er eich llythyr blaenorol. Anodd credu hynny — ond edrychais ar ei ddyddiad unwaith eto, i wneud yn siŵr.

Mae'r disgrifiad o'r daith yn y trên ac o'r Hostel ac o'r cyfarfodydd yn ddiddorol iawn — yn fy ngwneud yn awyddus i weld y flwyddyn hon yn mynd heibio'n gyflym. Fe fyddaf yn mynd i goleg y flwyddyn nesaf, yn ôl pob golwg; nid wy'n siŵr pa goleg eto, ond mae'ch disgrifiadau yn gymorth i ddewis!

'Does dim sôn am enethod del yn eich disgrifiad! Rwy'n sicr fod yna rai yno — yn rhywle! Os oes, mae Pedr yn siŵr o ddod o hyd iddynt!

Sut mae Pedr yn hoffi'r lle? Ydych chi'n aros mewn ystafelloedd cyfagos? Trueni na fyddai Pedr yn yr ystafell agosaf atoch yn lle'r bachgen o Affrica. Sut mae dweud y gair "Cwansa", tybed? Mi hoffwn ei gyfarfod, ar ôl darllen eich disgrifiad ohono.

Nid oes unrhyw newydd o'r ysgol — o leiaf, dim sy'n werth ei ailadrodd. Pawb fel cynt, ond fod Rebeca a Ioan wedi ffraeo unwaith eto. Ac i ateb eich cwestiwn (er nad oes angen i mi ateb cwestiwn o'r fath) — na, nid wyf yn "mynd" gyda neb. Pam roeddech yn gofyn, tybed?

Bûm am dro tua'r Winllan ar ôl te. Mae'r dail yn prysur

golli'u glesni, ond heb droi'u lliwiau rhyw lawer, eto.
'Dyw'r mwyar ddim gwerth eu hel erbyn hyn — yn galed
ac yn llawn cynrhon. Cefais ychydig o flodau gwylltion
— ddim llawer.

Gwelais Rebeca ar y ffordd yn ôl — heb Ioan — ac
aethom am gwpaned o goffi i'r "Twb", ein dwy.

Mae mynd i'r "Twb" am gwpaned o goffi mor wych ag
erioed — yn enwedig gyda Rebeca — heb Ioan! Pam nad
oeddech chi byth yn mynd yno? O leiaf, welais i erioed
mohonoch chi yno. Roedd Pedr yn mynd yno'n aml.

Roedd Rebeca'n dweud hanes ei ffrae gyda Ioan — ar
ôl i'r ddau fod yn y "Twb" un min nos, gyda Phedr —
ychydig ddyddiau cyn i Bedr fynd i'r Coleg. Ioan wedi
meddwl fod Rebeca'n rhoi mwy o sylw i Bedr nag iddo
ef. A dweud y gwir, mae'n rhaid bod Ioan yn sensitif
iawn, oherwydd welais i ddim byd o'i le yn ystod yr
hanner awr yn y "Twb" — Pedr, fel arfer, yn siarad mwy
na neb, a Rebeca, felly, heb ddim dewis ond gwrando
arno.

Dada'n galw — am i mi wneud swper, mae'n debyg.
Mae'n meddwl fy mod yn gwneud fy ngwaith cartref ar
hyn o bryd — am wn i!

Rhaid mynd. Diolch am y llythyr — roeddwn yn falch
o'i dderbyn.

Pob hwyl!

   Cofion caredig,

               Anna.

O.N.: Ydych chi'ch dau yn dod adref i fwrw'r Sul nesaf,
tybed? A.

Dyddiadur Olaf Marc — 2

1 Gorffennaf 1999 — prynhawn

Cartref Machlud. Y dydd cyntaf. A hwnnw, fel ninnau, yn
nes i'w ddiwedd nag i'w ddechreuad.

A dyma ddiwedd y daith! Diwedd fy nhaith i. Dyma'r
nod y llwyddais i'w gyrraedd. I'r fan hyn yr arweiniodd
y cam cyntaf — ai myfi oedd y crwt? Hwn yw'r dyfodol
disglair — ai myfi oedd y llencyn?

Ie — dyfodol disglair iawn. Mewn Cartref Machlud.

Breuddwyd ydyw, siŵr iawn. Mae hynny'n amlwg.
Breuddwyd yw'r cyfan. Breuddwyd ddoniol — hunllef o
ddoniolwch. Maddau'r llawysgrifen — rwy'n chwerthin!

Mam yn brodio fy hen sanau gorau, a'u rhoi'n daclus
yn y cês — er mwyn i mi gael cyrraedd fan hyn heb draed
oer. Modryb Bodo yn cynghori cynghorion ac yn anfon
papur pumpunt — i mi gael cyrraedd fan hyn yn
ddifrycheulyd ar ôl cael llond trol o hwyl ar fy ffordd.
Prynu llyfrau ail-law er mwyn i mi gael digon o arian dros
ben i dalu'r cludiad i'r terminws hwn.

Mae'r mathemategydd sydd ynof yn gwneud symiau
— pedwar pryd y dydd am dri chant chwe deg pum
niwrnod y flwyddyn, am gyfran helaeth o'r deng
mlynedd a thrigain. Gan gofio'r hirlwm, dyna gan mil o
brydau bwyd, fwy neu lai — o baratoi ac o fwyta. Heb sôn
am y darparu — y tyfu a'r medi a'r trin. Can mil o brydau
— er mwyn i'r corff hwn gael digon o nerth i gyrraedd fan
hyn; er mwyn i'w "adnoddau" gael lle anrhydeddus yn
eu stordai Nhw.

'Dyw'r mathemategydd sydd ynof ddim digon

galluog i fedru mesur yr unedau eraill a gyfrannodd tuag at y llwyddiant hwn — pwysau siomiant, cyflymdra hapusrwydd, grym cariad, cyfeillgarwch, oerni anwybod-aeth. A'r cyfan — yr anfesuradwy gyfanswm — yn mesur dim.

Ond na. 'Dyw hynny ddim yn iawn. Nid er mwyn cyrraedd fan hyn y digwyddodd yr oll a ddigwyddodd. Y "digwydd" oedd bywyd, gyda phwrpas a chyfiawnhad pob digwyddiad yn bodoli oddi mewn i derfynau'r digwyddiad ei hun. Nid cyfres o benodau dilynol rhwng prolog ac epilog yw bywyd, ond brithwaith o ddigwyddiadau, gyda phob digwyddiad yn rhan gyflawn o fywyd ynddo'i hun.

I mi, y munudau hyn, sgrifennu'r frawddeg hon yw bywyd.

Ond rwy'n blino. Mae ceisio meddwl yn glir yn straen. Myfi yn "hen, eleni ganed". Ac mae'r driniaeth a'r cyffuriau a'r cyflyru yn gadael eu hôl. 'Dyw'r platinwm ddim yn amddiffyniad perffaith; hawdd yw llithro'n ôl i fyd yr iaith synthetig a'i hwiangerddi clyd.

Cawsom groeso gwresog y bore yma. Beth sgrifennais i — yn gynharach? "Croeso brwd"? Nid wy'n cofio — ac maen Nhw wedi mynd â'r tudalennau.

Cefais syniad go dda o'r hyn oedd yn digwydd yma, cyn "derbyn y gwahoddiad". Roedd fy hen swydd yn ei gwneud hi'n hawdd cael gafael ar rywfaint o wybodaeth "answyddogol".

Hen swydd? Mae'n anodd credu fy mod yn fy hen swydd ddoe! Ddoe!

Swydd ddywedais i? Pam lai! Mae cystal gair ag unrhyw air arall. Ac onid yw Cyngor y Frawdoliaeth wedi ailddiffinio pob gair? A ph'un bynnag, onid

Llythyr oddi wrth Pedr — 1

1 Gorffennaf 1999

Marc, F'Annwyl Gyfaill,

Credaf y cei di hwn mewn pryd. Diolch fod moddion i gyfathrebu'n gyfrinachol i'r sawl sy'n deall.

Gwn dy fod yn mynd i'r Cartref Machlud heddiw.

Beth allaf ei ddweud? A'i wneud?

'Does dim gobaith, Marc. Mae'n rhy hwyr. I ti ac i mi ac i bawb ohonom.

Ni welaf unrhyw obaith.

Pam sgrifennu o gwbl? Ni allwn beidio. Mae yna ryw fath o galondid mewn cydanobeithio â'n gilydd!

Caf fy mhoeni, Marc. Yn arteithiol ar brydiau. O gofio'r hyn allesid bod wedi'i wneud. Pa mor bell yn ôl, tybed? Wyt ti'n cofio'r cyfarfod hwnnw — bymtheng mlynedd yn ôl? Oedd hi'n rhy hwyr y pryd hynny, tybed? Oedd hi'n rhy hwyr yn y cyfarfodydd cyntaf, pitw, diddyfodol, gwirion rheiny — bellter bywyd yn ôl?

Mae yna un ffordd o hyd — i ni, yr Ychydig. Negyddu'r platinwm. Rwyt yn gwybod sut i'w negyddu. Mae'n rhwydd. Fe wyddost y ffordd. Yna'r cyflyru perffaith a'r bodlonrwydd mawr.

Mae'n un ffordd.

Ond efallai nad yw pethau'n hollol anobeithiol. Mae rhywbeth yn digwydd yn Omega-delta, ar raddfa eangach na chynt. Nid wyf yn siŵr beth. Ond mae'n bwysig. Mae'r U.G. eisoes ar lifiant llawn — a'r negesau heb eu dadansoddi'n llwyr. Credaf y trosglwyddir mwy a mwy o raglenni israddol i raglen ddadansoddi Omega-delta — a dyna'r gyfundrefn yn dechrau gwanio!

Oes gobaith, tybed?

Wyt ti'n cofio — hanner can mlynedd yn ôl, a mwy — y daith gyntaf i'r Coleg yn y trên? Trên! Waeth i ni chwerthin ddim! A Mair a Siwsan? Yn enwedig Siwsan!

Marc — mae'n rhaid i mi gael ei ddweud. Os oes unrhyw beth yn dal yn bwysig, yna mae hwn yn bwysig. A gorffennaf gyda'i ddweud —

Arnaf i roedd y bai. Myfi a Chwansa. Nid ar Anna. Mae'n rhaid i ti gredu hynny, oherwydd hynny sy'n wir. Nid oes angen arnaf i esbonio rhagor. Digon fy mod yn deisyfu dweud — ac yn dweud — yr hyn sy'n wir. Nid ar Anna roedd y bai.

Marc annwyl — ond wedi dweud hynna, beth arall sydd i'w ddweud? Fe'i dywedwn pe gwyddwn.

Oes yna rywbeth ar ôl hyn, Marc?

Nid wy'n gwybod pryd i orffen sgrifennu, na sut.

Cawsom hwyl, oni chawsom? Ddyddiau a fu! A pham lai?

Fe'u trysoraf. Fe gawsom hwyl, on'do?

Rhof wybod i ti — rhywsut — os digwydd rhywbeth. Mae yna rywfaint o obaith, efallai.

Cofia am yr hwyl! A'r Trên! Ac Omega-delta!

Dal ati, Marc!

Pedr.

Dyddiadur Olaf Marc — 3

1 Gorffennaf 1999 — gyda'r nos

Diwedd y dydd cyntaf yn y Cartref Machlud — y dydd cyntaf o'r dyddiau olaf. Os olaf hefyd.

Beth sgrifennais i y prynhawn yma? Mae'n amhosibl cofio. Ac maen Nhw wedi mynd â'r tudalennau oddi wrthyf — yn union fel y gwnaethon' Nhw y bore yma.

Rwy'n cofio sgrifennu rhywbeth am Bedr. Ac am Anna, mae'n debyg. Mae'n anodd cofio. Ai myfi, mewn gwirionedd, oedd yn ysgrifennu?

Peth anesboniadwy yw'r deisyfiad i gadw dyddiadur. Oddieithr yma — 'does dim dewis yma. Ond pam cadw dyddiadur yn wirfoddol? I bwy? Os i'r hunan, sut mae egluro'r demtasiwn gref i newid ambell i air neu ddileu ambell i frawddeg mewn hen ddyddiadur? Ni ellir twyllo'r hunan fel hyn.

Fe'm temtiwyd i, fwy nag unwaith, i wneud hyn mewn hen ddyddiadur — newid rhywbeth bach, yma ac acw. Ond wnes i ddim — oddieithr un tro.

Newid brawddeg mewn hen ddyddiadur — ymgais chwerthinllyd o wan i'w gwneud hi'n hawdd byw yn y gorffennol, ac i wneud y presennol yn fwy esboniadwy. Beth petai'r gallu gennym i newid y digwyddiad hen yn hytrach na'r frawddeg? Druan ohonom — mae'n debyg y byddai'r presennol yn fwy anesboniadwy nag erioed!

Tybed nad er mwyn yr hunan y mae dyn yn cadw dyddiadur o'i wirfodd? Gorrach pen-mawr! Beth yw gwerth fy narlun bach narsisaidd i, i un o'm disgynyddion pell? Wele myfi — wele ddynionyn! Pa elw i arall o ddod i led-adnabod darn aneglur o un agwedd ddibwys o un o'i gyndeidiau hen?

Na — nid er mwyn eraill y cedwais yr hen ddyddiaduron gynt. Fe'u cedwais er mwyn myfi fy hunan. Ymgais wan, ymgais wallgof, i arafu ychydig ar lif bywyd, i fferru amser, i ffrwyno'r carlamu gwyllt.

Ac yn fwy na hynny, cais i brofi i'r hunan nad ffug yw'r cyfan — llythrennau duon pendant, real, ar bapur gwyn, yn bloeddio: "Gwir yw! Digwyddodd! Mae! Ydwyt!" Creu ynys o dir solet, i gael sefyll arni, pan nad oes ond môr i'w weld. Rhywle i ffoi iddo, lle nad oes dim o'r ansicrwydd a berthyn i yfory, na dim o'r afrealaeth sy'n rhan o heddiw.

Rheswm arall, hefyd: mai purion yw i'r henwr gael darllen cronicl cynnar y gŵr ifanc llawn gobaith, ac yna bendympian yn ei gornel gyda gwên ar ei wyneb — "O'r fesen hon y tyfodd y dderwen."

Ie, derwen — yn llawn afalau'r deri, caled a chwerw, a chynrhonyn yng nghrombil pob un. Derwen heb fes.

Gwyrth oedd llythyr Pedr — gwyrth, gwyrth, gwyrth! Ei dderbyn yn fan hyn, o bob man! Onid yw hynny, ynddo'i hun, yn arwyddo gobaith?

Pedr druan! Yn f'atgoffa i o'r platinwm! Fel pe bai unrhyw bosibilrwydd yr anghofiwn amdano! Os bu ystyr lythrennol erioed i'r "llinyn arian" — y platinwm yw hwnnw. Ynddo mae'r enaid yn trigo; hebddo, heb yr hanner sentimedr gwarchodol, nid wyf ond cyflenwad o organau ac asid DNA-X a darparborthiant-gwartheg, yn aros aeddfedrwydd yr amser, cyn diflannu ("cael fy anrhydeddu"!) i'r ystordai rhew.

Pedr! Pedr! 'Dwyt ti ddim yn meddwl, wyt ti, fy mod i,

Marc, yn barod i negyddu'r platinwm? A llofruddio'r
enaid? Pedr! Pedr! Wyt ti ddim wedi fy neall yn well na
hynny, Pedr, ar ôl yr holl flynyddoedd meithion?

A thruenusach Bedr! Wyt ti'n dal i gredu fod yr hen
episod wirion honno — tydi a myfi ac Anna — yn dal yn
bwysig? Heddiw, a'r byd yn byw ei hunllef, a bywyd ei
hun yn farwolaeth — wyt ti'n dal i gredu fod
dadansoddi'r hen episod wirion honno yn rhywbeth
amgenach nag adlais gywilyddus o gam-werthoedd a
ffug-ysgogiadau ein bywyd bach crintachlyd, hunanol,
o'n doe bach rhyfedd?

A Phedr, Pedr — y truenusaf o wŷr! Tydi, un o'r
Ychydig, a'th enaid byw yn rhydd — yn gofyn hyn?

Cloch. Triniaeth olaf y dydd. A'r tudalennau hyn yn
cael eu casglu. Nid ydyn' Nhw yn gwastraffu amser yma.

Credais i mi glywed gylfinir yn galw — mae'n rhaid fy
mod yn mynd yn hen! Ble maent yn nythu'n awr — os
oes, os ydynt? A'r gwylanod a fu'n troelli uwch y Winllan,
gynt? Oes gwylanod o hyd? A'r Winllan? A môr byw? A
mwyar yn llawn sudd? Neu'n llawn cynrhon, hyd yn oed
— cynrhon byw, rhydd, afreolus, gwych o afreolus, yn
gwingo'n wynfydedig rydd. Neu fwyar sych, llawn had,
ddiwedd Hydref, yn gyfoethog eu haddewid.

Yr ail gloch. Rhaid gorffen.

Diwedd y dydd cyntaf, o'r dyddiau olaf.

Dogfen Swyddogol — 3   *1 Gorffennaf 1999*

CYNGOR Y FRAWDOLIAETH
ADRAN LES — IS-ADRAN CARTREF MACHLUD

fratolish hiang perpetshki

Adroddiad Dyddiol — Machludwyr Unigol

CYFNOD: Dydd 1; Mis 1

Neuadd: B7/895/2068/L3

Enw: Marc 35/278/29/516

Triniaeth 1: llwyddiant

Dyddiadur:

hyd: 3.7 uned

ansawdd: annealladwy

cynnwys gwaharddedig: dim

ystorio: A 32689/X3/B7

fratolish hiang perpetshki

Llythyr oddi wrth Siwsan — 1

31 Hydref 1948

F'Annwyl Farc — y Mwnci!

A mi est ti adre, do, 'ngwas i? At Mam Bach ac Anna Banana?

Gobeithio y cest ti hwyl. Ydy hi'n hoff o fananas? Anna, felly, nid Mam Bach.

Mi anghofiaist ti am nos Sadwrn, on'do? Brasach porfeydd gartre, falle?

Mi ges inna hwyl, hefyd. Felly 'dydy o ddim gwahaniaeth — y Mwnci!

Pa bryd y gwela i di nesa? Neu fe wnaiff Pedr y tro — mae o a Mari wedi cael ufflwn o ffrae nos Sadwrn — y porfeydd yn rhy welltog, greda i.

Mae arna i ofn Cwansa. Paid â'i gael o fel sybstitiwt i mi os nad wyt ti am rodianna mwyach.

Traethawd i'w orffen rŵan. Rwy'n casáu'r gwaith yn barod. Fydda i ddim yma ar ôl eleni, siŵr i ti!

Fedri di fforddio cadw howscipar? Rho wybod — am heno, ddim flwyddyn nesa.

Y Mwnci!

Siwsan.

O.N. Be ydy'r syniad gwallgo yma sydd gan Cwansa? "Cymdeithas Brawdoliaeth" neu rywbeth arall hanner-herco. Mi gei egluro'r cwbwl i mi heno — ha! ha!

Brysia, Mwnci! 'Does yna fawr o fywyd mewn byd o draethodau. Mari newydd alw. Mae'n ôl gyda Phedr. "Haws cynnau tân ..." Beth am bedwarawd?

Dyddiadur Cynnar Marc — 5

1 Tachwedd 1948

Rwy'n falch o fod yn ôl yn yr Hostel. Chefais i ddim blas ar fwrw'r Sul yn yr hen dref. Pam, tybed? Ydyw cyfnod mor fyr â mis cwta wedi bod yn ddigon hir i ddileu effeithiau deunaw mlynedd? Mae'n anodd gennyf gredu hynny — ac eto, mae'n ymddangos felly.

Mae mor wahanol yma. Yma, fi ydy fi. Ond gartref, yn yr hen dref, rwy'n ddarnau o bawb — darn o Mam, darn o Fodryb Bodo, darn o hwn a llall ac arall. Darn o bawb, am wn i, ond Anna.

Nid wyf yn deall Anna. Ni ddaeth yr ychydig oriau o'i chwmni, fwrw'r Sul, ag unrhyw adnabyddiaeth newydd — unrhyw ddealltwriaeth newydd — yn ei sgil. Rhedodd yn ôl, yr holl ffordd o'r Winllan i'r dref — wel, cerdded yn gyflym, hyd braich oddi wrthyf, yr holl ffordd. Ac yn siarad mor gyflym â'i cherdded, am bopeth — am Bedr a phawb — heb edrych arnaf.

Nid wyf yn gwybod pa fudd sydd mewn cadw dyddiadur anniddorol fel hyn. Yr unig bethau y dylid eu cofnodi yw'r pethau hynny a fyddai'n angof heb eu cofnodi. Ac yn well wedi'u hanghofio. Pam eu cadw'n fyw, ynteu?

Nid yw Anna yn fy neall. Nid yw'n sylweddoli mor bwysig yw hi i mi. Nid fel Pedr. Merch yw Anna i Bedr. Sgert. Fel Mari. Neu Siwsan, synnwn i ddim — o adnabod Pedr. Tybed a fu Pedr gyda Siwsan, yr ychydig ddyddiau roeddwn i oddi yma? Yn fwy na thebyg!

Ydyw Anna'n siarad amdanaf i wrth Bedr? Maent i gyd

rhywbeth yn debyg; unig sgwrs Siwsan yw'r bechgyn eraill a'i profodd — a'r manylion i gyd. Beth pe bawn i'n dechrau siarad am Siwsan wrth Anna? Beth feddyliai Anna wedyn?

Feiddiwn i ddim sôn am Siwsan wrth Anna. Ond a bod yn onest, rwy'n sôn am Anna wrth Siwsan. Talu'r pwyth yn ôl, efallai? Unwaith, fe alwais Siwsan yn Anna — wnaeth Siwsan ddim sylw o'r llithriad. Ond hoffwn i ddim clywed Anna'n fy ngalw i'n Bedr — llithriad neu beidio.

Credaf fy mod yn deall Siwsan. Ac mae deall Siwsan yn allwedd i ddeall Pedr, hefyd. Efallai fod Siwsan i mi fel ag y mae Anna — a Mari a'r lleill — i Bedr.

Efallai mai dyna pam rwyf mor falch o fod yn ôl yma. Mae Siwsan yma — ac rwy'n ei deall. Ei deall am nad oes angen deall Siwsan — dim ond ei derbyn. Mor wahanol i Anna; mae Anna'n gwybod heb adnabod, a hynny'n fy mlingo'n gignoeth.

Roedd cwmni'r "Twb" yn hollol fabïaidd. Awchio coffi di-flas a chwythu mwg ymffrostgar a chlebran disynnwyr. Iawn i Rebeca ac Ioan. Ond nid yw Anna'n perthyn i'r patrwm. Na minnau.

Pam roedd hi mor bwysig i ni adael y Winllan mor gynnar a mynd i'r "Twb" ar gymaint o frys? Ac yn enw popeth — pam yr agosatrwydd atgas hwnnw yn y "Twb" — y gwthio cadair yn nes, a'r yfed coffi o'r un cwpan — o gofio'r daith yn ôl?

Diolch am gael bod yn ôl. A diolch i Siwsan a'i gonestrwydd. Mae yna ryw gysondeb perffaith — bron na ddywedwn "foesoldeb perffaith" — yn perthyn i Siwsan: ei "na" mewn gwinllan yn "na" mewn caffi, a phob "ia" mewn caffi yn "ia" mewn gwinllan.

Rwy'n hoff o Siwsan. (Hoff? Mae'n anodd cael y gair iawn.) Yn fwy hoff o Siwsan nag o Anna. Ond rwy'n caru Anna.

Caru? Beth yw cariad? Beth bynnag ydyw, ef sy'n ysgogi'r gwefr rhyfeddol hwnnw a ddaw o gyffwrdd â llaw Anna — yn fwy gwynias na chyffyrddiadau dirgelaf Siwsan. Pwy sy'n dweud mai cnawd yn unig yw'r corff?

'Dyw'r gwaith academaidd yma ddim yr hyn a ddisgwyliais iddo fod, fis yn ôl. Mae'n ddigon diddorol, ac yn ddigon rhwydd, ond yn rhy debyg i waith ysgol. A nifer o'r darlithwyr yn ddim ond athrawon ysgol — llai o lwch sialc ar eu dillad, efallai. Ac un o'r darlithwyr yn ddim amgen na gramaffon o gnawd; duw a'n gwaredo — Dyn ar ffurf peiriant! Ai er mwyn hyn y gweithiais yn galed i ddod yma?

'Doedd Mam fawr gwell. Brodio sanau a phacio'r pot jam mwyar duon mewn haenau o bapur llwyd. Ai er mwyn hynny y dychwelais i'r hen dref am ychydig ddyddiau? A pham y gwrthododd hi gael Anna acw i de, brynhawn Sul? Efallai yr af â Siwsan yn ôl gyda fi y tro nesaf, i gael te acw — er mwyn diawledigrwydd y peth. A'i dangos hi i Anna, hefyd!

Roedd mam Pedr yn gweld mwy o fai arnaf i nag ar Bedr — am nad oedd Pedr, hefyd, wedi dychwelyd yn ôl i'r hen dref i fwrw'r Sul! A pham gebyst oedd Mam wedi rhoi gwahoddiad iddi i ddod acw i gael te, brynhawn Sul?

Fe welais dad Anna, hefyd — y "Dada" bondigrybwyll. Pwy mae o'n feddwl ydy o? A phwy mae o'n feddwl ydy Anna?

Darlith — gyda'r gramoffon o gnawd. Pedr yn curo'r wal:

"Amser mynd!"

Wyddwn i ddim ei fod o i mewn.

Dyddiadur Olaf Marc — 4

8 Gorffennaf 1999

Wythnos yn y Cartref Machlud. Fel mae dyn yn cynefino
— â phopeth. Ac wrth gwrs, mae'r ychydig belydrau
cyflyru sy'n treiddio i mewn i'r ymennydd, heibio i'r
platinwm, yn gwneud y cynefino'n rhwyddach.

Heb os nac oni bai, mae'r negesau electromagnetaidd o
Omega-delta yn cael effaith hynod ar yr Uchel Gyfrifydd.
Nid ydyn' Nhw'n gofyn i ni gadw dyddiaduron bob dydd
— mae wythnos o fwlch er y diwethaf; ond roeddwn
wedi deall ("drwy ddirgel ffyrdd") cyn dod yma, fod
dyddiaduron beunyddiol y Machludwyr yn bwysig iawn
— yn wir, mewn ffordd sy'n ddirgelwch i mi, yn un o'r
ffactorau hynny a waranta lwyddiant Cyngor y
Frawdoliaeth. Mae'n amlwg fod rhan o'r is-raglen ar gyfer
y dyddiaduron eisoes wedi'i throsglwyddo i'r gwaith o
ddadansoddi Omega-delta. Dal ati, Omega-delta!

Beth gebyst mae'r Lleill yn ei roi yn eu dyddiaduron?
Os y shibolethau'n unig, pa werth ydynt i'r Uchel
Gyfrifydd? Pa werth sydd mewn tudalen ar ôl tudalen o
"Fratolish hiang Perpetshki", gydag ambell i fformiwla
arall, yma ac acw, i greu amrywiaeth?

Sut mae modd i'r atgynyrchiadau hyn o'r shibolethau
warantu llwyddiant yr Uchel Gyfrifydd? Ydyw'r
ailadrodd, rhywsut neu'i gilydd, yn creu organau
iachach, a chwarennau mwy cyfoethog, a chyflenwad
gwell o'r asid DNA-X yn y llefarwr? Ai effaith
seicosomatig o'r fath yw'r eglurhad? Oherwydd — os
deallaf yn iawn — prif bwrpas y chwe mis yn y Cartref

Machlud yw "cyfoethogi'r adnoddau". Hynny, a'r dyddiaduron, a'r angen (chwedl y ffurflen) am "sicrhau y gostyngiad angenrheidiol yn rhif y boblogaeth allanol'.

Nyni — neu o leiaf y Lleill — yw'r "boblogaeth allanol". Y "boblogaeth fewnol" ydyn' Nhw, wrth gwrs!

Ond yn ôl at y Lleill, a'u dyddiaduron. Beth all fod yn eu dyddiaduron, ond shibolethau ac ystrydebau? Disgrifiadau mecanyddol o adwaith cyflyredig i fyd synthetig. "Gwelais ddeilen werdd a melyn yn disgyn i'r llawr". "Gwelais" — disgrifiad diwaharddedig o adwaith y nerfau optig i ysgogiadau goleuni. "Deilen werdd a melyn" — o blastig, eto'n tyfu ac yn melynu ac yn disgyn i'r llawr, cymaint yw clyfrwch yr is-raglenni amgylchfyd.

A'r perl llenyddol yna — a pherlau cyffelyb — wedi derbyn ei had o un o is-raglenni yr Uchel Gyfrifydd ei hun!

Mae'n sefyllfa anhygoel — cwbl anesboniadwy. Mae ystyr a gwerth y cymhlethdodau cyfrifyddol hyn y tu hwnt i'm dychymyg a'm deall i.

Ydyn' Nhw'n cadw dyddiaduron, tybed? Yn llawn shibolethau? Os ydyn' Nhw, siawns eu bod Nhw'n deall mai shibolethau ydynt. Ydyn' Nhw'n deall mai deilen blastig yw'r ddeilen werdd a melyn?

Anodd gwybod i ba raddau y maen Nhw wedi'u cyflyru. A faint ohonyn' Nhw sy'n bod. Ydyn' Nhw'n marw? Neu — ai dyma'r rheswm dros yr ystordai dwfn, yn llawn o "adnoddau"?

I ba raddau y maen Nhw yn dibynnu ar yr Uchel Gyfrifydd? Ac yntau arnyn' Nhw? Ai un ohonyn' Nhw yw'r Uchel Gyfrifydd — y Dyn?

Mae'n ddoniol meddwl y gallasai Pedr a minnau fod wedi bod yn un ohonyn' Nhw! Pam na chytunodd Pedr, tybed? Pedr o bawb! Ac i'r gwrthwyneb, onid oedd cytundeb Cwansa yr un mor anesboniadwy?

Ac Anna. Sut, sut, sut? Ond nid wy'n credu fod hyn yn wir. Anna? Y croen cynnes yn fetalaidd oer? Yr ewyllys gadarn yn ferfaidd?

Os yw'n wir, nid Anna yw hi — nid Anna oedd hi. Peidiodd yr Anna iawn â bod — flynyddoedd cyn hyn. Pa bryd, tybed?

Ple, tybed? Cyn y cyfarfod olaf? Cyn y cyfarfodydd? Mor bell yn ôl â'r Lawnt? Neu'r Winllan, hyd yn oed?

A fu Anna iawn — erioed?

Beth ddigwyddodd yn y cyfarfod olaf hwnnw, bymtheng mlynedd yn ôl, cyn goruchafiaeth lwyr Cyngor y Frawdoliaeth? Nid oedd llythyr olaf Pedr o unrhyw gymorth. Nid oedd Pedr yn taflu unrhyw oleuni newydd ar Anna. "Arnaf i roedd y bai. Myfi a Chwansa. Nid ar Anna." Ai sôn roedd Pedr am y cyfarfod olaf cyn y Frawdoliaeth neu am ddigwyddiad arall, dibwys, dibwys, dibwys?

Bymtheng mlynedd yn ôl roedd y cyfarfod olaf. Yn 1948 hiang perpetshki

> fratolish hiang perpetshki
> fratolish hiang perpetshki
> Ubi-kiang hiang perpetshki
> Ete-kiang hiang perpetshki
> Homni-kiang hiang perpetshki
> Al computerex
> Al computerex

Al computerex nid oes na nid oes nad oes na na neb na nid dim seren fechan yn y nos pwy a wnaeth dy

wên mor dlos ji ceffyl bach yn cario ni'n dau dros y
mynydd i hel y cnau a'r fuwch yn y beudy yn mw-mw
isio mw-mw isio mam so mam so mam so mam-mam-
mam da-da-da-da

Dyddiadur Olaf Marc — 5

9 Gorffennaf 1999 — prynhawn

Digwyddodd rhywbeth ddoe — gyda'r dyddiadur. Ond nid wy'n hollol siŵr beth a ddigwyddodd. Dioddefais y boen fwyaf arteithiol a gefais erioed yn fy mywyd. Mae'n bur debyg fy mod wedi meddwl — yn yr iaith synthetig — am rywbeth sy'n uchel iawn yn rhestr y testunau gwaharddedig.

Beth oedd o, tybed? Tybed a geisiais ddadansoddi — gyda iaith y Frawdoliaeth yn gyfrwng — natur y Drindod Gyfrifyddol? Mae'n uchel iawn yn rhestr y testunau gwaharddedig, ac unrhyw ymarferiad meddyliol o'r fath yn ysgogi llifiant aruthrol o belydrau cyflyru i mewn i'r meddwl cyfeiliornus.

Neu tybed a feddyliais — yn yr iaith synthetig — am y flwyddyn "Mil-Naw-Wyth-Pedwar"? Mae hynny ymysg yr uchaf o'r testunau gwaharddedig — am ddau reswm.

Y Drindod Gyfrifyddol — yr Uchel Gyfrifydd yn Beiriant, yr Uchel Gyfrifydd yn Ddyn, ac Ysbryd y Frawdoliaeth. Ai ymgais fwriadol i fetafforeiddio'r hen yw hyn? Onid yr un yw'r dirgelion? Onid union berthynas gwahanol agweddau'r undod â'i gilydd yw prif ddirgelwch y gyfundrefn bresennol, megis gyda'r hen? Ac onid yw'r pwyslais a roddir ganddyn' Nhw ar y pwysigrwydd o dderbyn — yn hytrach na dadansoddi a deall — natur y gydberthynas, yn profi bod crefydd o ryw fath yn rhan anhepgor o bob cyfundrefn, pa mor rhesymegol bynnag fo'r gyfundrefn honno?

A'r testun arall gwaharddedig — *Mil-Naw-Wyth-*

Pedwar. Dyna flwyddyn gorseddu Cyngor y Frawdoliaeth, wrth gwrs. Ac nid ydyn' Nhw'n awyddus iawn i'r cyfnod hwnnw gael ei drafod! A chyn i'r Cyngor gael ei orseddu'n llawn, roedd y llyfr sy'n dwyn enw'r flwyddyn honno'n deitl yn disgrifio cyfundrefn a oedd yn llawer rhy debyg i gyfundrefn y Cyngor i wneud y llyfr yn un derbyniol.

Gwn — drwy brofiad chwerw — pa destunau sy'n waharddedig. Ond er hynny, llithraf ar adegau i feddwl amdanynt drwy gyfrwng iaith synthetig y Frawdoliaeth, er i mi wybod am y gosb — y poenydio arteithiol — a ddeillia o hynny.

Pam y gwnaf hyn? Onid yw'n profi nerth a grym y cyflyru cyntefig a fu'n gweithio arnom yn y blynyddoedd "diniwed" cyn goruchafiaeth Cyngor y Frawdoliaeth? Cyn y cyflyru uniongyrchol? Nid oeddem yn sylweddoli y pryd hynny mor gryf oedd effaith y cyflyru damniol arnom; eto i gyd, y cyflyru "syml" hwnnw a'n tywysodd i'n sefyllfa bresennol.

Gobeithiaf na chofnodwyd fy llithriad meddwl, ddoe, yn un o'u peiriannau Nhw; mae dadansoddydd meddwl, o ryw fath, yn yr ystafell hon, wrth gwrs. Neu'n waeth — os "Mil-Naw-Wyth-Pedwar" oedd fy mhechod, os ysgrifennais ef mewn symbolau rhif yn hytrach nag mewn geiriau, yna fe fydd y symbolau gwaharddedig yn ddealladwy gan yr Uchel Gyfrifydd! Ac os felly — druan ohonot, Marc!

Eto i gyd, ddoe oedd hynny — mae hi'n heddiw'n barod! Efallai na ddaw dim o'r peth. Efallai fod Omega-delta, unwaith eto, yn dwyn yr is-raglenni.

Gobeithio na ddaw dim ohono. Nid yn unig er fy mwyn fy hun, ond er mwyn pawb o'r Ychydig.

Pedr annwyl — maddau i mi, os llithrais. Onid ydym bawb yn llithro?

Anna hefyd — os yw'n wir.

Na — nid yw'n wir! Nid yw Anna'n un ohonyn' Nhw. Mae'r syniad y tu hwnt i bob dychymyg.

Fe hoffwn ei gweld. Beth petai'n un ohonyn' Nhw? Dim gwahaniaeth — fe hoffwn ei gweld. Ond o hirbell. Yn rhy bell i'w chyffwrdd. Yn rhy bell i fedru cyffwrdd y croen a fu unwaith yn llyfn ac yn wyn ac yn gynnes. A heb iddi hi fedru fy ngweld i.

Hoffwn i ddim iddi hi fedru fy ngweld i, yn hen ŵr saith a thrigain oed. A hithau, fel un ohonyn' Nhw, yn dal yn ifanc a gosgeiddig. Ifanc a gosgeiddig, a'r croen yn fetalaidd, oer.

A fyddai'n edrych — o hirbell — fel yr Anna honno a safodd ar Lawnt y Coleg, oes yn ôl?

Ac i bwy, tybed, y perthynai'r ieuenctid benthyg? O ba stordy dwfn y cloddiwyd y gosgeiddrwydd drud? Eironi diderfyn yw bywyd. Onid yw'n bosibl mai purdeb y corff gonest a fu unwaith yn Siwsan fyddai cnawd anfarwol yr Anna newydd hon?

Dyddiadur Olaf Marc — 6

9 Gorffennaf 1999 — nos

Heddiw, am y tro cyntaf erioed, fe welais un o'r erchyllbethau di-ryw. Un o'r Di-rywiaid.

Arglwydd — paham y'n gadewaist? A pha beth yw dyn, i Ti ei anghofio?

Pam na chefais farw cyn hyn?

Fe wyddwn am eu bodolaeth. Fe fu'r si yn gryf yn ein mysg ni yr Ychydig — beth amser yn ôl. Ac yn bennaf ymffrost ganddyn' Nhw.

Gwelais ef (ef?) drwy fy ffenest, yn yr heulwen fetalaidd.

Arglwydd — paham na ddiffoddaist yr haul cyn llewyrchu ohono ar yr Adda newydd hwn?

Roedd yn ddyn (yn ddyn?) ifanc — os yw eu hymddangosiad hwy yn hafal i'n heiddo ni. Un o'r rhai cyntaf un, mae'n debyg, un o'r ychydig a gynhyrchwyd yn yr arbrofion cynnar, aflwyddiannus. Nid yw cynnyrch yr arbrofion diweddarach wedi gadael y Labordai Mamaeth eto, er i gyflymder y prosesau metabolaidd gael ei ddyblu.

Roedd yn cerdded — os cerdded yw'r gair — ar draws y lawnt blastig, i gyfeiriad y wal sy'n dwyn patrwm o gerrig. Cerddodd — neu o leiaf, symudodd — ar draws y lawnt, nes cyrraedd y wal. Yna trodd, drwy ongl sgwâr, a chanlyn y wal i'r gornel bellaf, a thrwy'r porth.

Gwelaf ei ben yn ysgwyd — ar hyd y daith. Yn guriad calon. O'r chwith i'r dde; o'r dde i'r chwith.

O fy Nuw, fy Nuw! Paham y'n gadewaist?

'Doedd o ddim yn ddu nac yn felyn. Ydynt, maen Nhw'n glyfar iawn; gwyn oedd lliw ei groen.

O Anna! Ai er mwyn hyn y bu'r cyfan?

Ac ar ôl cilio ohono trwy'r porth, fe welwn di, Anna, yn sefyll ar y lawnt. Roeddet yn gwenu.

Dy ddychmygu roeddwn, wrth gwrs. Dychymyg pur.

Roedd sawr gwellt a droediwyd yn dod drwy'r ffenest — y Nhw a'i piau; un o'r is-raglenni a'i cynhyrchodd. Ond yn gymysg â sawr y gwellt, roedd persawr ysgafn dy gorff a'th wallt, megis cynt. Myfi yn unig piau hwnnw — nid y Nhw.

Myfi a'i piau, yn saith deg oed. Hen ddyn diffrwyth yn edrych drwy ffenest Gorffennaf ac yn gweld rhiain wen ar lawnt las, ac yn llenwi'i gorff â sawr ei chorff ac â sawr ei gwallt. Ac yn byw ei ieuenctid ef yn ei hieuenctid hi.

Gwenaf. Yna chwarddaf. Chwarddaf nes i'r sŵn orlenwi'r gell foethus.

Chwarddaf — yn wyllt, wyllt, wyllt!

Pa beth arall a wnaf — ond chwerthin?

Chwarddaf am i mi gael byw i weld mab Dyn yn croesi lawnt yn heulwen Duw.

A gweld Anna yn sefyll yno, yng Ngorffennaf y lawnt. Byddaf driw i'r diffiniad: wele, o Uchel Gyfrifydd, anifail sy'n berchen y ddawn o chwerthin!

Llythyr oddi wrth Anna — 3

17 Mehefin 1949

Annwyl Marc,

Fe fyddi'n dod yn ôl o'r Coleg, i ddechrau dy wyliau haf yma, gyda hyn. Dyna pam rwy'n sgrifennu atat — rwyf am i ti gael gwybod beth yw fy nheimladau cyn i mi dy weld yma — os gwelwn ein gilydd eto.

Nid oeddwn am sgrifennu atat ti byth eto ar ôl yr hyn a ddigwyddodd y tro olaf yr oeddit ti — a Phedr — i lawr yma. Nid dyna'r tro cyntaf, chwaith. Meddyliais — un amser — ein bod wedi dechrau deall ein gilydd; ond mae'n amlwg i mi, ar ôl y tro diwethaf, nad oes unrhyw obaith y gwnawn ni fyth ddeall ein gilydd.

Nid wyt yn fy neall, Marc. Neu efallai dy fod yn meddwl, y tro diwethaf roeddit i lawr, mai rhywun arall oeddwn i.

Dy fusnes di, wrth gwrs, yw popeth yr wyt yn ei wneud oddi cartref. Nid oes a wnelo hynny â mi. Ond pan oeddem ein chwech yn y "Twb", roedd yn amlwg ddigon, o sgwrs Pedr, nad ei ffrind ef yw Siwsan — pwy bynnag yw hi.

Tybed a oeddit yn meddwl mai'r Siwsan honno oeddwn i? Os ydyw'n golygu rhywbeth i ti, pam rwyt ti mor awyddus o'm cwmni i? Rhywbeth dros dro, efallai, i aros nes mynd yn ôl i'r Coleg? Wyt ti'n meddwl fod hynny'n beth iawn i'w wneud? Ac yn rhywbeth y bodlonwn i ei dderbyn?

Mae'n well i ni beidio â gweld ein gilydd byth eto. Mae'n amlwg nad wyt yn fodlon fy nerbyn am yr hyn ydwyf — ac ni allaf fod yn neb arall. Ddim i ti, hyd yn oed.

Mae'n ddrwg gennyf, Marc. Roeddwn wedi meddwl y buasai pethau wedi datblygu mewn ffordd wahanol.

Paid ag ateb hwn, os gweli'n dda. Yn un peth — nid oes ateb. A pheth arall — mae Dada'n anfodlon iawn fy mod yn derbyn cymaint o lythyrau oddi wrthyt.

Fe fyddaf innau'n mynd oddi cartref ar ôl y gwyliau haf, fel y gwyddost. Ac fe fyddwn yn bellach oddi wrth ein gilydd nag erioed, o bosib. Hynny fydd orau, mae'n debyg. Fe fyddai'n beryglus i ni'n dau fod oddi cartref yn yr un lle.

Yn gywir,

Anna.

Dyddiadur Cynnar Marc — 6

9 Gorffennaf 1949

Mae'r flwyddyn gyntaf o goleg wedi mynd fel y gwynt —
o edrych yn ôl. Roedd hi'n llusgo ar brydiau — ond mae
hi wedi mynd i rywle.

Beth oedd ei swm a'i sylwedd? Trueni na chedwais
mo'r dyddiadur yn feunyddiol — fe fyddai'n haws ateb y
cwestiwn wedyn. Ond wnes i ddim; mae deng mis o
fwlch!

Deng mis o fwlch! Mae'r dyddiadur gwag wedi ateb y
cwestiwn, wedi'r cwbl!

Mae'n braf cael bod gartref. Roeddwn yn dechrau
diflasu ar y Coleg. Pedr yn fwy chwit-chwat nag erioed, a
rhyw surni yn dechrau eplesu dan groen Cwansa. Siwsan
yn fwy moesol ei "hanfoesoldeb" nag erioed, ac yn fy
nychryn gyda naturioldeb ei hathrawiaeth bywyd
digonfensiwn. Os bu erioed bencampwres ar garu heb
gariad, Siwsan yw honno.

Nid wyf wedi gweld Anna eto, ers i mi ddod yn ôl yma.
Ac o gofio cynnwys ei llythyr olaf ataf i'r Hostel, nid yw
hynny'n fy synnu. Mae'n amlwg yn fy osgoi — neu o leiaf,
nid yw'n ceisio fy nghyfarfod.

Hoffwn ei gweld — yn fuan. Ar ei thelerau hi ei hun.
Pam fod cyffwrdd â'i llaw yn unig yn rhoi mwy o wefr i
mi na llosgi fy holl gorff yn fflamau Siwsan?

Siwsan ac Anna. Beth sy'n gwneud Siwsan yn Siwsan,
ac Anna yn Anna? I ba raddau y mae Siwsan — ac Anna
'run modd — i'w chlodfori am ei rhagoriaethau, ac i'w
chondemnio am ei ffaeleddau? Ai Siwsan sy'n creu

Siwsan, ac Anna'n creu Anna? Neu a ydyw'r naill, fel y llall, yn greadigaethau eraill? Ac i ba raddau mae'r naill o'r ddwy, drwof fi fel cyswllt, yn creu'r llall?

Ai myfi sy'n eu creu? Ai myfi sy'n creu Siwsan i fod yr hyn ydyw — ac Anna i beidio â bod yr hyn y dylai fod?

Mae'n syniad ysgytwol — fy mod yn byw nid yn unig fy mywyd fy hun, ond bywyd Siwsan a bywyd Anna, hefyd. A hwythau'n byw cyfran o'm bywyd i — hwy a Mam a Modryb Bodo a Phedr a Chwansa — ie, a hyd yn oed Rebeca ac Ioan, a Mair — hyd yn oed "Dada" a mam Pedr, a'r gramoffon o gnawd a Joseff y barbwr — i gyd yn byw darn o fy mywyd i i mi.

Ydwyf yr hyn ydynt; ydynt yr hyn ydwyf. Câr dy gymydog fel ti dy hun, canys tydi yw.

Bûm am dro tua'r Winllan y bore yma. Fy hunan. Nid oeddwn yn deisyfu cwmni neb — na Phedr nac Anna na neb. Ond fy nhad, efallai. Carwn pe bai fy nhad yn fyw. Carwn fod wedi cael ei gwmni ef, yn cerdded tua'r Winllan, a thrwy'r Winllan, a thua'r traeth.

Fe fyddaf yn meddwl amdano bob tro y clywaf y gylfinir yn galw, a phob tro y gwelaf wylanod uwch môr, a phob tro yr edrychaf ar wyrth y coed yn y Winllan.

Cof brith sydd gennyf ohono, a'r cof hwnnw, rhywsut neu'i gilydd, ynghlwm â'r gylfinirod a'r gwylanod a'r coed sy'n tyfu yn y Winllan. Tybed a fuom am dro, ein dau, cyn cof, law yn llaw, tua'r Winllan? Ai dyna'r tro cyntaf i mi sylweddoli fod yna fyd mawr crwn o'm cwmpas?

Efallai mai dyna pam y carwn ei gwmni unwaith eto. Ai darganfod yr ydwyf, o'r newydd, am yr ail dro, fod yna fyd mawr crwn o'm cwmpas?

Ei gwmni ef yn gyntaf. A Siwsan, mi gredaf — nid Anna

— fyddai fy ail ddewis, y munud hwn. Pa bethau — pa
rinweddau — sy'n rhoi'r ddau gyda'i gilydd? Ai cyfrinach
Siwsan yw'r hyn a gredaf oedd cyfrinach 'Nhad, hefyd?
Eu bod ill dau yn gwbl ymwybodol o fyd mawr crwn o'u
cwmpas?

Ar fy ffordd yn ôl, drwy'r dref, gwelais hunllef. Geneth
— ddeg oed? — yn llaw ei thad. O'r fechan! Nid oes Duw
yn bod. Neu o leiaf, nid yw duw Mam a duw Modryb
Bodo'n bod. Ni allai'r duw hwnnw a'r eneth hon gyd-fyw
yn yr un bydysawd.

Y druan fach! Pwy a'i creodd hi, tybed? Nid cerdded
oedd ei cherdded. Na wyneb ei hwyneb. Pam? A phwy?
Ai dyn oedd yn euog o greu'r anghenfil benfelen hon? Ai
dyn oedd yn euog o greu'r posibilrwydd o fodolaeth yr
anghenfil benfelen hon?

Llythyr oddi wrth Modryb Bodo — 2

10 Gorffennaf 1949

F'Annwyl Nai,

Mae blwyddyn, bron, er fy llythyr diwethaf atat. Ac er ein bod wedi gweld ein gilydd fwy nag unwaith yn y cyfamser, rwy'n teimlo fod y llythyr hwn yn perthyn yn nes i'r llythyr hwnnw nag i'r ddau gyfarfod neu dri a ddigwyddodd rhwng y llythyrau.

Ydyw hyn yn profi bod byd papur ac inc yn wahanol i'r byd o gysylltiadau personol a chorfforol, ys gwn i? Nid y cyfrwng yn unig yn wahanol, ond y "ti" a'r "minnau", hefyd? Mae'n rhwyddach dweud rhai pethau ar bapur nag ar dafod — a'r gwrthwyneb yn wir gyda phethau eraill. Ai swildod yw unig sail y naill, ac anfedrusrwydd "ysgrifenyddol" y llall? Neu a ydyw'n fwy cymhleth na hynny — ein bod yn byw hefyd mewn "byd o bapur ac inc", sy'n wahanol i'r byd o wynebau a lleisiau? A'r ddau fyd, er yn ymwneud â'i gilydd, eto ar wahân?

Dyna fi'n dechrau athronyddu eto! A'r llythyr hwn i fod yn un syml iawn. Ond dyna fe — mae bron i flwyddyn er y llythyr blaenorol.

Y neges syml yw gwahodd fy hunan i de acw — fwrw'r Sul nesaf rhywdro. Cei ofyn i dy fam pa ddiwrnod fydd yn gyfleus, ac anfon bwt i mi.

Gyda llaw — paid â gwario dy arian ar gerdyn post amryliw'n ôl dy arfer. Fe fydd pwt o lythyr yn fwy derbyniol! Mae'n well gennyf weld yr hen dref yn ei lliwiau llwyd, cyfoethog, nag edrych ar rith-luniau ohoni, yn amryliw a heb gysgodion ystyrlon.

Bron i mi â llithro i athronyddu unwaith eto!

Fe fydd yr arian a arbedi drwy beidio â phrynu cerdyn post lliwgar yn foddion i ti fedru fforddio mwy o inc nag arfer! A chan ei bod yn wyliau arnat, ni fydd angen "gorffen ar fyrder er mwyn dal y post"!

A chan gofio fy thema ar ddechrau'r llythyr, wnei di ddim "gorffen fel 'na'n fyr, oherwydd fe gawn sgwrs am bopeth yn fuan"! Fe wyddost na wnawn ni ddim sgwrsio am nifer o bethau allesid fod wedi'u trafod mewn llythyr!

Rwy'n ysu am gael gwybod (ar bapur — cyn y sgwrs) sut aeth y flwyddyn gyntaf yn y Coleg. Gwn ein bod wedi cael sawl sgwrs — wyneb yn wyneb — am y flwyddyn, a cherdyn post amryliw o'r Hostel ar ddechrau'r flwyddyn. Ond chefais i ddim gwybod dim am dy fyd "papur ac inc" di, hyd yn hyn!

Ydwyf — rwy'n busnesu. Os oes angen cyfiawnhad, yna fe blediwn "chwaer dy dad". Ond 'does dim angen cyfiawnhad, nag oes? Dy fusnes di yw fy musnes i. Mae rhan o dy lwyddiant yn perthyn i mi; ac os daw aflwyddiant (mae'n debyg y daw — mae'n dod i bawb), yna mae rhan o hwnnw, hefyd, yn perthyn i mi.

Fe wnest ffrindiau, yn sicr. Rwyt eisoes wedi sôn am un neu ddau ohonynt wrthyf — bechgyn clên iawn yn ôl y disgrifiad. Beth am ddisgrifiad "papur ac inc" ohonynt? A dweud ychydig am y ffrindiau eraill — dwy, tybed neu dair?

Fe fûm innau'n ieuanc, hefyd!

Rhaid gorffen "er mwyn dal y post"! Ond mae'n rhaid i Fodryb Bodo gynnig cyngor, siŵr iawn! Cyngor "papur ac inc" — y math na ddaw yn rhwydd oddi ar dafod, mewn sgwrs.

Dyma fe, Marc: rwyt yn meithrin cyfeillion newydd — o'r ddau ryw. Da iawn. Mae'r profiadau'n ehangu, a'r teimladau'n dyfnhau. Felly mae i fod. Ond gyda'r ehangu a'r dyfnhau, mae'r posibiliadau'n mynd yn fwy niferus, y gweithredoedd yn fwy cymhleth, a'u canlyniadau'n fwy tyngedfennol. Cofia hyn: nid yw unrhyw weithred wirfoddol — o'r corff nac o'r meddwl — yn diweddu ynddi'i hun. Mae'n parhau am byth.

Fedri di ddim rhoi atalnod llawn ar ei hôl. Mi fedri di anghofio popeth amdani; ond mae'n parhau i'r dyfodol eithaf.

Dyna pam y dywedais wrthyt un tro mai heddiw yw bywyd. Heddiw yw yfory. Parhad dy heddiw yw dy yfory di.

Gwna'n fawr o dy heddiw, Marc!

Anfon lythyr hir yn fuan — cyn y sgwrs gyflenwol!

Cofia fi'n annwyl at dy fam — a rho wybod i mi ynglŷn â dod acw i de.

Cofion anwylaf,

dy Fodryb Bodo.

Llythyr oddi wrth Siwsan — 2

10 Gorffennaf 1949

F'Annwyl Fwnci,

'Does dim rhaid i ti barchu'n cytundeb ni mor llythrennol,
nag oes? 'Dyw "caru heb gariad" ddim yn golygu peidio
â llythyra, nad yw?

Ta waeth, fe gefais gyfeiriad dy gartref — fel y gweli!
Camp i ti ddyfalu gan bwy!

Oes hiraeth arnat ti, Mwnci del? Mae'na hiraeth arna i!
O — paid â phoeni! 'Dydy cyfaddef hiraeth ddim yn profi
cariad, nac yn arwain (maddau'r gair sy'n dilyn) i briodas.
Ond efallai nad hiraeth ydy o — os na fedri di ddweud
fod dyn heb fwyd yn hiraethu am dorth.

Sut mae pethau i lawr yna? Ydy Anna'n ymrwyddhau?
Fe ddylet gael gwell hwyl ar bethau ar ôl yr holl wersi a
roddais i ti — Mwnci gwirion! Cofia fi at Bedr.

'Dwy i ddim yn siŵr iawn eto beth i'w wneud y
flwyddyn nesaf. Cawn weld. Neu ddylwn i fod wedi
dweud — caf weld?

Nid dyna pam rwy'n sgrifennu atat. Mae gen i neges
fwy difrifol (rhagrithwraig!). Cefais sgwrs hir gyda
Chwansa — sgwrs yn unig, Mwnci! Fel y gwyddost,
roedd o (fel finnau) yn mynd i lawr ddiwrnod ar dy
ôl. Mae pethau'n mynd ymlaen yn wych gyda'r
Frawdoliaeth, a Chwansa'n dân gwyllt gyda'r syniad o
ledaenu'r neges. Mae tair cangen yn bod rŵan, ac oddeutu
trigain o aelodau. Hefyd, mae tri mudiad lleiafrifoedd
arall yn dangos diddordeb mawr yn y Gynghrair. Creda
fi — mae Cwansa wedi dechrau rhywbeth!

Fe ddylet fod wedi'i glywed! Chlywais i erioed mohono

mor gadarn ei weledigaeth. Roedd ganddo rai pethau miniog iawn i'w dweud: "Mae'n lleiafrif ni yn fwy lwcus na'ch lleiafrif chi. Fedrwn ni ddim gwadu na chuddio lliw ein croen. Dyna pam nad ydym ni ddim yn lleiafrif sgitsoffrenig. A dyna pam nad oes dim angen i ni brofi i'n pobl ein hunain eu bod nhw'n bobl wahanol."

Mae Cwansa'n gwbl argyhoeddedig fod yna ddyfodol byd-eang i'r Frawdoliaeth, ac am alw'r Gynghrair at ei gilydd am y tro cyntaf — ganol mis nesaf. Mi weli'r manylion ar y dudalen sydd wedi'i hamgáu.

Ddoi di? Mae'n bwysig. Nid er fy mwyn i. Rwyf innau hefyd, cofia, yn dallt fod yna rai pethau sydd cyn bwysiced â diwallu anghenion y corff. Dim llawer o bethau ond mae 'na rai.

A phwy sy'n mynd i'n hatal rhag cyflawni'r ddwy nod? Tyrd, Mwnci del! Mae newyn arnaf! Ac mae'r cyfarfod yn bwysig.

Er mwyn Anna, os hoffi di feddwl felly — ac os daw hynny â thi i'r cyfarfod. Ac er mwyn y plant a fydd i Anna. Ia — edrych ar bethau felly. Tyrd er mwyn Anna a'r dyfodol.

Ond yn bwysicach — er fy mwyn i a'r presennol!

Brysia, Mwnci del!

Yn llawn caru (chaf i ddim dweud "cariad"!),

Siwsan

Dyddiadur Olaf Marc — 7

1 Awst 1999 — bore

Mae mis wedi mynd heibio er i mi "dderbyn y gwahoddiad" i ddod i mewn i'r Cartref Machlud. A thair wythnos wedi mynd heibio ers y tro diwethaf iddyn' Nhw ofyn i ni lenwi'r dyddiaduron.

Dal ati, Omega-delta!

Ond mae'r driniaeth wedi parhau'n ddi-fwlch, fodd bynnag — a'r corff yn adweithio'n ufudd i'w gorchmynion Nhw. Fe fydd cynhaeaf da pan ddaw dydd machlud — dydd yr anrhydeddu.

Mae'n driniaeth ddigon di-boen; nid felly'r effaith. Y dydd cyntaf o'r wythnos y ceir y driniaeth hwyaf, ond mae rhyw fath o driniaeth — tabledi neu bigiad neu ymbelydriad — bob dydd.

Y Lleill — rhai iau na nyni'r Machludwyr — sy'n gwneud y gwaith, gydag un neu ddau ohonyn' Nhw'n arolygu. Rydym yn ffodus mewn un ffordd — nid yw'r Di-rywiaid aeddfed yn ddigon niferus eto i'w rhoi ar waith mewn lle fel hyn — ond gwelais un, rai wythnosau'n ôl, drwy ffenest fy nghell, yn croesi'r lawnt.

Oes yna aelod arall ohonom ni'r Ychydig i mewn yn y Cartref, tybed? Ai myfi yw'r unig un yn L3? Eto i gyd — fe lwyddodd Pedr i gael llythyr i'm dwylo, rhywsut neu'i gilydd. Sut, tybed?

Rwy'n chwilio'n ddyfal, bob cyfle a gaf, am yr arwydd a ddengys bod un o'r Lleill yn un o'r Ychydig. Credais — ddoe — i mi ddod o hyd i un; ond roedd y graith sentimedr neu ddwy yn nes i'r glust chwith nag y dylai fod.

Tybed ai llithriad oedd hynny? Tybed a fwriadwyd i'r truan hwnnw fod yn un o'r Ychydig? Camleoli hanner sentimedr o wifren blatinwm — a hynny'n ei amddifadu o fod yn gadwedig. Mor denau yw'r ffin!

Neu ei achub o fod yn golledig! Efallai mai myfi a Phedr a'r Ychydig eraill sy'n golledig, a'r Lleill — yn ddiblatinwm ac yn ddidemtasiwn ac yn gwbl ufudd i'r gyfraith, heb dreisio'r iod lleiaf— yn gadwedig? Onid yr ymdeimlad — a'r warant — o fod yn rhan o'r hollbresennol a'r digyfnod a'r cwbl-wybodus yw unig ystyr "bod yn gadwedig"? A heddiw, onid y sawl sydd mewn cytgord llawn â'r Uchel Gyfrifydd sy'n cyflenwi'r diffiniad? Onid hwy sy'n "rhyngu bodd"?

Beth a ddywedai Modryb Bodo, tybed? Gyda chyfrifydd electronaidd — Uchel Gyfrifydd neu beidio — yn dduw?

Ef — yr Uchel Gyfrifydd — sy'n rheoli, yn llywodraethu, yn creu o'r newydd o'r had marw, yn pennu dydd marwolaeth a dyddiad geni — ie, lliw y croen a theithi'r meddwl, hyd yn oed.

Onid yw'n dduw, Modryb Bodo?

Clywaf ei hateb: "Dyn a wnaeth y Peiriant."

Wel — beth felly yw'r gwahaniaeth, Modryb Bodo? A chlywaf hi'n ateb eto — na, nid Modryb Bodo, ond Siwsan sy'n ateb: "Y gwahaniaeth? Mi ddweda i wrthyt ti: cariad. Nid oes modd i Beiriant garu."

Siwsan annwyl — beth wyddost ti am gariad? Caru, efallai — mor wych oeddit! Wyddost ti, rwyt ti'n rhoi gwên ar fy wyneb ac ias i lawr asgwrn fy nghefn, heddiw hyd yn oed — minnau'n hen, tithau'n — beth, tybed?

Beth wyt ti, Siwsan? Ble rwyt ti, Siwsan? Llwch? Un o'r Lleill, efallai, erbyn hyn? Nid un ohonyn' Nhw — onid wyt yn rhan o un ohonyn' Nhw, efallai. Neu'n un o'r Ychydig, o hyd? Mae'n bosibl — roeddet yn ddigon deallus, ac yn meddu digon o argyhoeddiad.

Beth wyddost ti am gariad, Siwsan? Ond wedi meddwl, credaf y gwyddet bopeth am gariad o'r cychwyn cyntaf, oni wyddet? Onid unig ystyr cariad yw'r weithred o garu? A beth yw'r weithred o garu ond creu yr undod perffeithiaf bosibl?

A dyna ni'n ôl gyda'r Uchel Gyfrifydd, unwaith eto. Pwy sy'n mynd i wadu nad yw'r Uchel Gyfrifydd wedi llwyddo i wneud hyn — yn ddihafal? Onid yw'r Uchel Gyfrifydd, drwy ymdrechu i greu undod perffaith, yn amlygu cariad perffaith? Beth felly yw'r gwahaniaeth, Modryb Bodo?

"Aberth." Modryb Bodo, yn sicr, sy'n ateb.

Gwrandewch, Modryb: fe gaiff Cwansa drafod eich ateb — gyda'i weflau trwchus a'i ddannedd aur a'i fysedd deuliw ar led: "Cyfnewid yw aberth; y gwerthfawr yn cael ei wneud yn ddiwerth, mewn modd sy'n adennill yr hyn a gollwyd ar ei ganfed."

Ac onid hyn a wneir gan yr Uchel Gyfrifydd?

Pwy nesaf? Pedr, efallai? "Yr Anfeidrol a'r Meidrol — dyna'r gwahaniaeth. Ychydig negesau electromagnetaidd — ychydig yn fwy cymhleth nag arfer — ac amlygir ei feidroldeb. Na — nid yw'r Uchel Gyfrifydd yn anfeidrol; nid yw'n Dduw."

Tydi, ddarllenydd, o gyfnod arall, all yn unig bwyso a mesur gwirionedd yr hyn a ddywed Pedr.

Ac Anna — beth wyt ti'n ddweud, Anna? Nid yw Anna'n dweud dim. Dim ond sefyll ar y lawnt, nid nepell o'r Coleg, yn yr heulwen, yn nechrau mis Hydref, a'r blodau'n troi yn had — prydferthwch yn pydru er adennill ar ei ganfed yr hyn a gollwyd.

Fe sefaist ar y lawnt hon, hefyd, oni wnaethost? Dair wythnos yn ôl. Fan hyn, drwy'r ffenest hon, yn heulwen mis Gorffennaf. Ar lawnt lle cerddodd drychiolaeth, ennyd cyn dy ymddangosiad di.

Dychymyg, wrth gwrs! Dychymyg. Ac na ddyweded neb fod y dychymyg, weithiau, yn fwy gwir na'r synhwyrau.

A wnest ti adennill, Anna, ar dy ganfed? Pa ffrwyth newydd a ddaeth o'r had marw, Anna? Beth yw canwaith yr hyn a gollwyd, dwed?

Wele'r cynhaeaf: goruchafiaeth lwyr Cyngor y Frawdoliaeth; yr Uchel Gyfrifydd yn dduw; yr Ychydig yn wehilion diffrwyth rhyddid; a'r rhelyw o ddynion yn bypedau rhydd. Cabledd y Di-rywiaid, hunllef y Cartrefi Machlud, rhyfyg eu stordai dwfn.

Pymtheng mlynedd yn ôl, a thynged byd yn nwylo'r Ychydig. A thynged yr Ychydig yn nwylo un.

Nid wy'n credu yr hyn a gredaf. Nid oes hawl gennyf i'w gredu. Nid oes prawf.

'Does yna neb ar y lawnt. Na rhith na drychiolaeth. Nid oes lawnt, ychwaith — dim ond glaswellt plastig, a minnau'n hen. Mae Mam yn gwneud jam mwyar duon ac yn brodio sanau. Mae'n lapio'r pot jam mewn haenau trwchus o bapur newydd hen, ac yn pacio'r sanau'n annwyl yn y cês sy'n llawn o gariad. Mae hi'n gwybod nad duw yw'r Uchel Gyfrifydd. Mae hi'n gwybod beth yw Cariad ac Aberth ac Anfeidroldeb.

Dyna pam mae hi'n gwneud jam ac yn brodio sanau ac yn dweud dim.

Dyddiadur Olaf Marc — 8

1 Awst 1999 — prynhawn

Beth sgrifennais i cyn cinio?

Cinio! Dyna air llednais, os bu un erioed!

Mae'n iawn ar y Lleill — ac arnyn' Nhw. Mae'r Lleill wedi'u cyflyru mor drwyadl nes iddynt gymryd awr, bron, i fwyta'r wledd o bum tabled — yn gollwng glafoerion, ac yn mwynhau pob llyfiad fel 'tae pob llyfiad yn llond ceg o fwyd blasus. Maent yn torri gwynt i'r ddau gyfeiriad ac yn curo'u boliau ac yn sychu'u cegau â chefnau'u dwylo ar ôl y tabledi.

Dyna'r unig droeon, bron, i mi deimlo fel negyddu'r platinwm — er mwyn i minnau, hefyd, fel y Lleill, gael gloddesta ar y bum tabled. Mae'n anodd i ddyn aberthu gwleddoedd lawer er mwyn y fraint o gael cadw ychydig o'i wahanrwydd a'i hunaniaeth — yn enwedig felly pan fo'r cyflyru mor gryf, a phatrwm cymdeithas mor ddieithriad.

Mae'r demtasiwn yn cryfhau o ddydd i ddydd gan fod y "prydau bwyd" yn gwaethygu o ddydd i ddydd. A'r gwaethygu hwn yn enghraifft arall, mae'n debyg, o effaith cynyddol Omega-delta ar y gyfundrefn bresennol. 'Dyw'r Lleill, wrth gwrs, ddim yn sylweddoli fod y "prydau bwyd" yn gwaethygu — mae'r cyflyru'n gweithio fel sos blasus iddynt hwy!

Heddiw, 'doedd dim tabledi, hyd yn oed. Cawsom belenni-porthiant yn eu lle. Wrth gwrs, mae'r pelenni'n gyfoethog iawn mewn protinau — a hefyd, a bod yn onest, yn debycach i fwyd iawn na'r tabledi cwblsynthetig. Ond anodd, wrth gnoi'r pelenni-porthiant, yw anghofio'r gorymdeithiau dyddiol o'r Neuaddau i'r Fachludfa.

Ar gyfer y gwartheg mae'r pelenni-porthiant i fod, wrth gwrs. Er mwyn iddyn' Nhw gael cig.

Rwyn teimlo fel chwerthin! Waeth i mi chwerthin ddim! Mae'r sefyllfa mor afreal. Mae fel breuddwyd — popeth yn bendramwnwgl, ond yn gwneud rhyw fath o synnwyr oddi mewn i fframwaith y freuddwyd ei hun.

Pelenni-porthiant i wartheg er mwyn iddyn' Nhw gael cig! Oes yna wartheg, mewn difrif? Yn lle? Pa borfeydd sy'n dal yn welltog, a pha ddyfroedd sy'n dal i lifo'n dawel â dwfr?

Mae'n debyg fod yna wartheg yn rhywle — peiriannau o gnawd, yn sefyll ar bedair coes ac yn dweud "Mw!" — mewn rhyw feudy antiseptig, tanddaearol. Gwartheg na welsant erioed feillionen, na chwipio gwybed gyda chynffonnau tomllyd.

Sefyll ar bedair coes, ddwedais i? Mae'n debycach eu bod ynghrog o ryw nenfwd blastig, las a gwyn, er mwyn i gig y coesau fod yn freuach. Ynghrog ar slant, mae'n debyg, a'u pennau i fyny, er mwyn i'r pelenni-porthiant lithro'n rhwyddach i lawr eu gyddfau, a'r tail ddisgyn yn lanach. Disgyn i bresebau rheng is o wartheg, o bosib, i'r tom gael bod yn rhan o borthiant y rheiny.

Bron na ddywedwn mai iachach y pelenni-porthiant na chig y fath fwystfilod.

Ond os ydyn' Nhw'n awchio cymaint am gig, pam maen Nhw'n mynd i gymaint o drafferth i fetafforeiddio'r Machludwyr — drwy gyfrwng gwartheg — cyn eu rhoi ar blât? Ai rhan o'r actio a'r ffugio — fel y dail plastig sy'n troi'u lliw — yw hyn, hefyd?

Neu oes yna ruddin o barch tuag at gyd-ddynion yn bodoli o hyd o dan eu croen metalaidd Nhw? A rhyw ychydig o'r afreswm hepgorol a bendigedig hwnnw — a fu unwaith yn rhan ysblennydd o'r natur ddynol — yn parhau o hyd yn eu gwneuthuriad Nhw? Ac yn eu gwneud Nhw'n ymwybodol o wahaniaeth gorgemegol rhwng cig anifail a chig dyn? Os oes, synnwn i ddim nad ydyn' Nhw'n mynd i'r drafferth hefyd i ffugio cri'r gylfinir cyn glaw, a sgrechian gwylanod uwch môr, a ffrwythlonedd mwyar aeddfed, yn llawn sudd neu'n llawn cynrhon.

Os ydyn' Nhw — mae gobaith. O'r tu mewn.

Dyddiadur Olaf Marc — 9

1 Awst 1999 — nos

Rwy'n dechrau sylweddoli erbyn hyn fod pethau'n wahanol, braidd, i'r hyn a glywais am y lle hwn — yn swyddogol ac yn answyddogol — cyn "derbyn y gwahoddiad" i ddod yma.

Cyn dod yma! Pa bryd oedd hynny, dwedwch? Dim ond calendr a feiddiai roi'r ateb gonest: mis yn unig!

Bûm yn lwcus — cyn dod yma — mewn un ffordd o siarad. Fel un o'r Ychydig, roedd y platinwm gennyf, a hwnnw'n parhau i roi ystyr i fywyd. A gobaith, cyn lleied ydoedd, yn parhau i gyfiawnhau'r ystyr.

Bûm yn lwcus, hefyd, yn y cyfnod cyn y diddynoli llwyr. Pedr yr un modd, ac ychydig eraill o'n cydnabod. Roedd ein hyfforddiant a'n profiadau yn ein gwneud yn addas i ymgymryd â'r "gwaith uwch". Ac am gyfnod, ym mlynyddoedd cynnar Cyngor y Frawdoliaeth, a chyn y diddynoli llwyr, cawsom fwynhau lled-ryddid y "gweithwyr uwch".

Yna'r dewis olaf, bymtheng mlynedd yn ôl. Fel un o'r "gweithwyr uwch" — fel un o'r etholedig rai — cefais ddewis: y cofrestru a'r "addasu", i'm gwneud yn un ohonyn' Nhw, neu, fel y "gweithwyr is", fy nghyflyru'n llwyr — yn ymenyddol, yn uniongyrchol, yn ddi-droi'n-ôl — i fod yn un o'r Lleill.

Fy newis i, a dewis Pedr ac eraill o'r Ychydig, oedd derbyn y cyflyru llwyr — gan roi'n gobaith yn gyfan gwbl yng nghyfrinach yr hanner sentimedr o wifren blatinwm, wedi'i lleoli'n gywrain a chymwys. Llwyddodd y fenter i raddau. Ni ddaethon' Nhw i wybod am gyfrinach y platinwm, ac fe'n cofrestrwyd i gyd fel bodau cyflyredig — fel y Lleill — serch y ffaith fod y platinwm wedi negyddu'r cyflyru ymenyddol llwyr.

Gyda rhai. Rhai yn unig. Collwyd nifer fawr o'r Ychydig oherwydd i'r platinwm fod wedi'i gamleoli; pa ryfedd, o gofio'r brys gwyllt? A chyda'r gweddill ohonom, nid oedd y platinwm yn amddiffynfa berffaith.

Gwanhawyd nifer ac ansawdd yr Ychydig. Roeddem yn aneffeithiol fel corff. Methiant fu'r cyfan. Dilëwyd pob gobaith i ni, weddillion yr Ychydig, fedru diorseddu Cyngor y Frawdoliaeth. Roedd yn rhy hwyr.

Nid oeddem wedi sylweddoli, flynyddoedd meithion cyn y cyflyru llwyr a'r diddynoli, mor fileinig oedd y cyflyru distaw, cyfrwys, anuniongyrchol. Nid oeddem wedi sylweddoli, ychwaith, bwysigrwydd y Frawdoliaeth gynnar; nid oeddem wedi cymryd Cwansa o ddifrif — onid oedd yn byw dan yr un to â ni? Ac onid oedd y llygru a'r gwrth-droi yn athroniaeth sylfaenol y Frawdoliaeth gynnar, ac yng Nghwansa'i hun, mor raddol nes ein dallu i'r perygl?

Cwansa druan! Tosturiaf wrtho. Onid tosturi yw haeddiant yr hwn a gollir oherwydd i'w egwyddorion dilys droi'n feithrinfa melltith? Onid testun ein tosturi llwyraf yw'r dyn a dry yn byped, pa mor ddieflig bynnag yw symudiadau'r llinyn? Nid oedd modd i neb wybod, yn y cyfnod cynnar, pell, mai Brawdoliaeth bitw Cwansa druan fyddai cnewyllyn y mwyaf melltigedig o gynhyrchion dyn — Cyngor y Frawdoliaeth. Nid oedd modd i neb fedru dychmygu canlyniad erchyll y llurgunio a'r gwrth-droi a'r newid-dwylo cynnar.

A phan welwyd goruchafiaeth Cyngor y Frawdoliaeth,

yn fyd-eang, pwy a gredai yr adeg hynny, hyd yn oed, mai'r diddynoli llwyr a fyddai gorchest pennaf y Cyngor? Mai gorseddu'r Uchel Gyfrifydd yn unben a fyddai canlyniad anochel y diddynoli? Ac mai "puro'r amgylchfyd" ag ymbelydrau difaol fyddai perl cyntaf doethineb electronaidd yr unben hwnnw?

Y cyflyru distaw, cyfrwys, anuniongyrchol yn y cyfnod cynharaf oedd dechreuad y felltith. Araf y sylweddolwyd hynny. Gwan fu'r gwrthdystio, gwannach y gwrthryfela.

Chwerw'r deall. Ac o'r arafwch a'r gwendid a'r chwerwder, ffurfiwyd diwedd dyn.

Ychydig sy'n aros. Ffrwyth y canrifoedd wedi crebachu'n ddim. Dyrnaid o bobl aneffeithiol yn ddeiliaid olaf un deyrnasiaeth esblygol gyfan. Ffosiliau byw.

Yn berchen rhyddid pan nad yw rhyddid yn ymarferol. Yn abl i ddewis pan nad yw dewis yn bosibl.

Yn rhy hwyr o bymtheng mlynedd — neu o hanner can mlynedd?

Ai arnat ti, Anna — neu arnom ni — mae'r bai?

Dau gwestiwn — neu un? Ac os dau gwestiwn, onid ateb y naill yw ateb y llall?

Ni chaf byth wybod.

Dyddiadur Cynnar Marc — 7

27 Medi 1949

Dyna'r gwyliau haf cyntaf o'r Coleg bron â dod i ben. Rwy'n edrych ymlaen i fynd yn ôl. Siwsan, efallai? Os bydd hi'n ôl!

Ddwywaith yn unig y gwelais i Anna o ddifrif yn ystod gwyliau'r haf. A rhyw hanner dwsin o weithiau, gyda'r lleill, yn y "Twb". Wnawn ni byth ddeall ein gilydd.

O'r mawredd — fe fyddaf yn falch o gael mynd yn ôl!

Fe ddylwn fod wedi ateb llythyr Siwsan, ddeufis a mwy yn ôl. 'Doedd y llythyr ddim yn edrych yn un digon pwysig i'w ateb, y pryd hynny — gyda'r gwyliau o'm blaen, a Siwsan ymhell, ac Anna'n agos.

Ond 'doedd Anna ddim mor agos â hynny, wedi'r cwbl! Ychydig ddyddiau eto, ac fe fydd Siwsan — o bosib — mor glòs ag erioed. Mae'n well i mi sgrifennu pwt o lythyr ati — heno — cyn i'r gwyliau ddod i ben. Fe fydd yn werth aberthu ychydig amser i grafu ychydig eiriau ar bapur; rhaghysbysiad, fel petai!

Efallai y dylwn fod wedi mynd i'w gweld yn ystod y gwyliau — i gyfarfod "pwysig" Cwansa. Cynghrair Gyntaf Brawdoliaeth Dyn! Onid ydym yn meddwi ar deitlau! Ac onid yw Cwansa'n sylweddoli mor chwerthinllyd o naïf yw'r holl syniad o uno lleiafrifoedd y byd yn un mwyafrif grymus? A'i fod ef, Cwansa, yn mynd i achub y lleiafrifoedd hynny drwy gyfrwng ei Frawdoliaeth! Mae'n hen bryd iddo aeddfedu rywfaint, a deall nad yn nwylo'r "neb" y mae tynged byd a phobloedd, ond yn nwylo'r "hwynt-hwy" nerthol a grymus.

A ph'un bynnag, roedd y daith i'r Gynghrair Gyntaf— i beth mor ddibwys a hynny — yn llawer rhy bell. Siwsan neu beidio!

Fe aeth Siwsan i'r cyfarfod, mae'n debyg. Gwn nad aeth Pedr ddim. Fe gaf yr hanes i gyd gan Siwsan — os bydd yn ôl! Ac os bydd amser i siarad!

Wnaeth Anna ddim byd ond siarad y tro diwethaf i mi ei gweld ar ben ei hun, heb y lleill. Ar brydiau, mae'n ymddangos fel petai'n awyddus i gael fy nghwmni — ac yna, yn sydyn, mae'n cilio'n llwyr. Oddieithr mewn geiriau.

A pham, yng nghwmni'r lleill, yn y "Twb", mae hi mor eithafol o gyfeillgar tuag ataf? Bron na ddywedwn ei bod yn dangos rhyw fath o gariad (geiriol) tuag ataf ar adegau fel hynny.

A sut, serch ei deuoliaeth anesboniadwy, mae hi'n parhau i gael y fath effaith llesmeiriol arnaf? Pam y teimlais y fath foddhad pan ddywedodd wrthyf am ei llwyddiant — megis gyda Phedr a minnau — yn ennill ysgoloriaeth mor dda? A pham y teimlais yn orfoleddus o hapus pan ddywedodd mai ein Coleg ni oedd ei dewis hithau?

Ac yn anad dim, pam na ddywedodd hi mo hyn wrthyf yn y Winllan, gyda'n gilydd, yn hytrach nag yn y "Twb", yng nghwmni'r lleill?

Wna i byth ddeall Anna.

parhad — ar ôl swper.

'Does yna ddim byd doniol yn fy nyddiadur. Dim chwerthin. Efallai nad oes yna ddim chwerthin yn fy mywyd.

Ond rwy'n cael digon o hwyl, am wn i. Yn enwedig yng nghwmni Pedr. Bûm ar fin eu cofnodi yn hwn, fwy nag unwaith; ond pan ddaw'n amser i'w crisialu yn fy meddwl, cyn eu trosglwyddo i'r dyddiadur, maent yn ymddangos yn ddibwys neu'n ffug, a'r chwerthin yn troi'n sŵn gwag.

Cawsom hwyl, ddoe — Pedr a minnau — yn siop Joseff y barbwr. Yr hen Joseff ar ei orau, a phawb yn chwerthin! Ond eto — nid yw'n werth ei gofnodi. Pam, tybed?

'Does yna fawr o ddim sôn am Dduw, ychwaith. Arwydd o iechyd meddyliol yn ôl un llyfr a ddarllenais. Anodd derbyn datganiad y llyfr. Anodd credu mai arwydd o feddwl afiach yw'r ymwybyddiaeth o fodolaeth y dewis syml — Duw yn bod neu ddim yn bod.

Unwaith y bûm yn y capel yn ystod y gwyliau. Nid wy'n hoffi'r syniad o gadw oed gyda'r Anfeidrol rhwng colofnau o haearn bwrw, mewn adeilad sy'n ceisio cyfuno symlrwydd yr ysguboriau cynnar a gwychter eglwys gadeiriol. Bûm yno er mwyn Mam a Modryb Bodo — y Sul oedd Modryb Bodo yma.

Efallai mai dyna pam bod cyn lleied o Dduw yn fy nyddiadur — am fod cymaint o Mam a Modryb Bodo yn fy mywyd.

Ai dyna pam bod cyn lleied o ddoniolwch ynddo, hefyd? Na — anwiredd fyddai dweud hynny. Efallai nad oes llawer o chwerthin uchel yn perthyn i'r un o'r ddwy — ond mae eu tristwch, hyd yn oed, yn dristwch hapus.

Nid wyf yn gwybod pam fy mod yn methu â gwerthfawrogi doniolwch — neu o leiaf, yn ei gael yn rhy ddibwys i'w gofnodi'n fan hyn. Nid oes gennyf ddigon o — o athrylith, efallai? — i ddadansoddi'r broblem. Tybed mai rhyw fath o ofn sydd yma? Ofni'r dyfodol — ofni gwawrio rhyw gyfnod pan fydd darllen yn hwn am ddoniolwch y gorffennol yn gondemniad llwyr?

Malu awyr. Chwarae gyda geiriau. Diwerth a diystyr. Athronydd heb ddechrau byw yn dadansoddi bywyd. Fe fuasai'n well pe bawn yn mynd am beint — gyda Phedr. Ond wna i ddim. Ddim yma. Nid rhagrith, gobeithiaf — ond parch tuag at Mam, a'i chredo diysgog mai llwyrymwrthodwr yw Duw.

Rhywsut, nid wy'n credu fod Duw Modryb Bodo mor llwyr ei ymwrthod!

parhad — cyn mynd i gysgu.

Newydd orffen sgrifennu llythyr at Anna. Methais â'i gweld ers dyddiau, er mynd i gaffi'r "Twb" bob nos. Sgrifennais at Siwsan, hefyd. Yn gyntaf. Mae'n rhaid diogelu'r dyfodol!

Ac efallai fod cyfleu "hoffter" mewn geiriau yn rhwyddach gorchwyl na chyfleu "cariad".

Mae'n unig yma. Chwitchwatrwydd Pedr a phlentyneiddiwch y lleill. A Mam, wrth gwrs.

Dim ond sŵn y gylfinir sydd i'w glywed y foment hon.

Llythyr oddi wrth Anna — 4

29 Medi 1949

Annwyl Marc,

Methais â bod yn y "Twb" am chwech o'r gloch heno, yn ôl yr awgrym yn dy lythyr. Mi es yno'n hwyrach (cyn gynted ag y medrwn — tua wyth o'r gloch), ond 'doeddet ti ddim yno. Felly dyma nodyn byr, i ti gael gwybod beth a ddigwyddodd. Nid oeddwn yn hoffi'r syniad o'th weld (efallai) oddi cartref, heb wneud popeth yn glir yn gyntaf; mae'r dyddiau'n mynd mor gyflym, efallai na welwn ein gilydd cyn i'r Coleg ddechrau. Roeddet yn dweud yn dy lythyr dy fod yn edrych ymlaen i'r tymor newydd, yn falch fy mod innau hefyd yn mynd i'r un Coleg, ac yn awyddus i ni gael mwynhau cwmni'n gilydd yno. Ond os nad ydym yn medru deall ein gilydd yma, pa obaith sydd yna i ni ddeall ein gilydd yno?

Rwyt yn gofyn pam fod fy ymddygiad mor anesboniadwy. Ni allaf ateb dy gwestiwn, oherwydd nid wy'n deall dy gwestiwn. Pa ymddygiad? Beth sy'n anesboniadwy?

Rwy'n hoffi dy gwmni, Marc — yn fawr. A pha "ymddygiad" o'm heiddo i sy'n gwrthbrofi hynny? Nid wy'n deall dy gwestiwn. Do, wrth gwrs, fe fwynheais gydgerdded a sgwrsio â thi "yng nghanol hwiangerdd y Winllan". Onid tydi — yn amlwg — a fethodd â mwynhau'r munudau hynny? Pa beth a wnes i o'i le?

Na — nid gorchest oedd fy siarad yn y "Twb". Nid wy'n dy ddeall yn dweud y fath beth. Pe bawn heb ddweud dim yno — neu wedi dweud popeth oedd gennyf i'w ddweud wrth Pedr neu Ioan neu un o'r lleill, a dy anwybyddu di — a fuasai hynny wedi dy blesio, tybed?

Marc — mae'n rhaid i ni fod yn onest â'n gilydd. Rwyf am fod yn onest â thi. Oedd — roedd ofn arnaf yn y Winllan. Ychydig cyn i ni fynd oddi yno. Pan afaelaist yn fy llaw. Gwn na wnei di ddim credu hyn — ond teimlais ryw wefr, fel trydan, trwy fy holl gorff, pan wnest beth mor syml â hynny. A daeth ofn arnaf. Nid dy ofni di. Ofni myfi fy hun.

Rwy'n bod yn onest, Marc — do, fe adewais y Winllan mewn rhyw fath o banig. Roeddwn yn dianc. Ond nid oddi wrthyt ti — oddi wrthyf fy hunan.

Yn y caffi, yng nghanol y cwmni, nid oedd arnaf ofn fy hun. Dyna pam yr oeddwn yn ymddwyn yn wahanol.

Rwyt yn methu, Marc. Nid wyt yn fy neall. Myfi yn y caffi yw'r myfi iawn — nid yn y Winllan. Yn y Winllan — nid yn y "Twb" — y gwelaist y ffalster. A hynny yn deillio o ofn.

Rwyf wedi bod yn onest â thi, Marc. Bydd dithau'n deg â mi.

Gobeithiaf y caf dy gwmni yn yr amgylchfyd newydd. Efallai mai gwell fydd i ni beidio â gweld ein gilydd yn yr hen un, eto.

Yn annwyl,

Anna.

Dyddiadur Cynnar Marc — 8

15 Hydref 1949

Rwy'n siŵr o un peth — mae bywyd yn werth ei fyw. O'r diwedd, rwy'n deall Anna, ac Anna'n fy neall i.

Anghofia i byth mo'r lawnt yna, yn ymyl y Coleg, ac Anna'n sefyll yno. Roedd hi mor wahanol — mor wahanol i'r Anna honno oedd yn rhedeg o'r Winllan, ac yn siarad yn ddi-baid yn y "Twb". Mor wahanol i'w llythyr olaf, bythefnos yn ôl — ac eto, rhywsut, yn egluro'r llythyr hwnnw.

Fyddi di byth yn ddirgelwch i mi eto, Anna.

Mae'n ddrwg gennyf am Siwsan. Ond 'does dim lle i'r ddwy ohonynt yn fy mywyd. Fel yna mae pethau — a chytundeb yw cytundeb. Doniol meddwl, serch hynny; a feddyliais i erioed cyn hyn y gwelwn y dydd pan fyddai'n well gan Siwsan siarad am gariad na charu.

Siwsan druan! Ar ôl yr hynt a'r helynt — ar ôl y drafferth fawr o ailennill ei lle yn y Coleg. Ond fel yna mae hi — ac fe gawsom hwyl.

Credaf y cyflwynaf hi i Gwansa — maent eisoes yn adnabod ei gilydd yn lled dda.

Siwsan a Chwansa — gonestrwydd a chyfrwystra; naturioldeb yr anifail iach a phatrwm byw yr anifail mewn cawell; chwerthin merch a gwên dyn. Pwy ŵyr beth all ddeillio o'r fath ieuad? Onid yw'r Frawdoliaeth yn ffactor sy'n gyffredin i'r ddau?

Beth fydd Anna'n ei feddwl o Gwansa, tybed? Ddaw dim drwg o'i chyflwyno hi i Gwansa — ddim yn awr, a'r dirgelwch wedi'i dreiddio. Nid ei chyflwyno megis Siwsan, wrth gwrs! Fe fydd yn ddiddorol gweld adwaith Anna i syniadau gorchestfawr Cwansa a'i Frawdoliaeth bitw.

Mae Cwansa fel dyn gwallgof y dyddiau hyn. Rhoddais fenthyg fy nghopi o *Byd Newydd Dewr* iddo, ddeuddydd yn ôl — ac mae'n siarad amdano fyth a hefyd! Chefais i fy hunan ddim llawer o flas ar ddarllen y llyfr y tro hwn, ond cofiaf iddo gael cryn effaith arnaf pan ddarllenais ef am y tro cyntaf, oddeutu blwyddyn yn ôl. Mae'n feibl newydd i Gwansa, hyd y gwelaf i, ac wedi'i danio i ymdrechu'n galetach nag erioed (os yw hynny'n bosibl!) i wneud y Frawdoliaeth yn fudiad grymus, byd-eang, gwrthdotalitaraidd.

Cwansa dlawd — breuddwydion byd-eang, a'i deulu'n byw mewn cwt yn Affrica. Yn y darlithiau'n unig y gwelaf Pedr y dyddiau hyn; mae wedi gadael yr Hostel. Ar Mari mae'r bai!

Rhaid i mi gyflwyno Anna i Mari rhyw dro, mae'n debyg. Fe fyddai'n well gennyf beidio — mae Mari'n siŵr o glebran am Siwsan a minnau wrth Anna. Gallaf ddychmygu'r sgwrs! Yr awgrymu a'r ensynio a'r brathu i'r byw; y chwerthin ysgafn i gyfleu difaterwch, a'r ewinedd yn cleisio'r croen mewn gwrthdystiad distaw. Llygaid yn trywanu llygaid, a gwên yn cofleidio gwên. Ych-a-fi — rwy'n casáu cathod!

Llythyr oddi wrth Mam heddiw. Mae'n rhaid i mi ei hateb yn fuan, iddi gael gwybod nad yw'r ymweliad ddydd Sadwrn ddim yn gyfleus i mi. A nodyn byr at Modryb Bodo, i'w hatgoffa o'm cyfeiriad yn yr Hostel. Ond mae'n rhy hwyr i sgrifennu heno. Gwaith yr ail flwyddyn yn ymddangos yn ddiddorol ac yn addawol. Beth fydd diwedd y darganfyddiadau newydd hyn, tybed?

Nos da, Anna!

Llythyr oddi wrth ei fam — 2

13 Hydref 1949

F'Annwyl Fab,

Roeddwn wedi meddwl aros am lythyr oddi wrthyt cyn sgrifennu atat, yn ôl ein cytundeb, ond gan weld cyhyd â hyn o amser yn mynd heibio heb dderbyn gair, meddyliais mai gwell oedd ysgrifennu nodyn, rhag ofn fod rhywbeth o'i le.

Ydyw popeth yn iawn? Sut daith gawsoch chi'n ôl i'r Coleg? Rwy'n siŵr fod y gwaith yn drymach nag erioed, a hynny, mae'n debyg, sy'n egluro'r ffaith na chefaist gyfle i ysgrifennu.

Cofia roi gwybod i mi os oes arnat angen rhywbeth. Anghofiais ofyn i ti os oeddet am anfon dy ddillad gartref i'w golchi y tymor hwn, fel o'r blaen. Ond mae'n debyg dy fod am gael eu golchi yna y tro hwn, gan nad wyt wedi anfon pecyn gartref yr wythnos hon. Cofia nad yw'n drafferth o gwbl i mi eu golchi; hefyd, mae'n rhoi cyfle i mi wnïo botwm neu frodio neu drwsio, yn ôl yr angen. Mae'n debyg na wnân' nhw ddim byd felly i ti yna.

Cefais sgwrs â mam Pedr, ddoe. Nid oedd hithau, chwaith, wedi derbyn gair, ac mae'r ddwy ohonom yn meddwl mai syniad ardderchog fyddai i ni alw acw, y Sadwrn nesaf, i'ch gweld eich dau. Wnawn ni ddim aros yn hir, cofia — dim ond ymweliad sydyn. Efallai y cawn gyfle i gyfarfod eich cyfeillion newydd, a gweld yr Hostel a'r adeiladau eraill. Fe fuaswn i, a mam Pedr hefyd, wrth ein bodd.

Roedd mam Pedr wedi cael sgwrs gyda thad Anna, ac wedi cael ar ddeall fod Anna'n setlo 'lawr yn dda, er yn

hiraethus braidd am yr hen dref. Mae hynny'n beth digon
naturiol, wrth gwrs. Fyddi di'n gweld Anna weithiau?
Ond mae'n debyg na fyddi di ddim, gan nad yw'n
gwneud yr un pynciau â thi yn y Coleg.

Galwodd Modryb Bodo yma echdoe. Nid oeddwn yn
ei disgwyl, ond yn falch o'i gweld, serch hynny. Mae wedi
rhoi anrheg fechan i mi ei rhoi i ti, ond wedi fy siarsio i
beidio â'i hanfon drwy'r post i ti. Anfon air ati, os cei gyfle.
Ac fe ddof innau â'r anrheg i ti, ddydd Sadwrn nesaf. Fel
yna'n fyr, hyd ddydd Sadwrn. Cawn sgwrsio am bopeth
y pryd hynny.

Cofion anwylaf,

dy fam.

Dyddiadur Olaf Marc — 10

1 Medi 1999 — *bore*

Dyna ddeufis wedi mynd. Ni ddaeth llythyr arall oddi
wrth Pedr — y cyntaf oedd yr olaf, mae'n debyg. Ac ni
welais unrhyw arwydd o unrhyw aelod arall o'r Ychydig
oddi mewn i'r muriau hyn. Nid oes yma ddim ond neb a
dim.

Deufis o amser. Os yw bywyd wedi dysgu rhywbeth i
mi, mae wedi fy nysgu nad yw amser — yr amser a fesurir
gan ysgogiadau simsan ein bywydau'n hunain — yn
perthyn i dipiadau cloc nac i ddalennau calendr. 'Does
yna fawr ddim o berthynas — oes rhywfaint? — rhwng y
ddau amser. Nid yw cloc yn mesur hyd ein dydd, na
chalendr yn mesur hyd ein hoes.

Deufis mewn Cartref Machlud. Traean o'r ŵyl. Traean
o'r ffordd tua'r Fachludfa. Traean o'r driniaeth. Traean o'r
trin cyn y medi.

Mae wedi mynd. Fe â'r ddau draean arall 'run modd.
Dyna un o'r ychydig bethau sy'n gyffredin i'n hamser ni
ac i amser cloc — maent yn mynd.

Mae'n anodd dweud sut yr aeth y deufis — ai araf
ynteu cyflym. Mae'r driniaeth, a'r ychydig ymbelydrau
cyflyru sy'n treiddio heibio i'r platinwm, yn cawlio'r
syniad o amser — o'r ddau fath.

Rydym yn cysgu am hanner yr amser cloc. Cwsg sy'n
tarddu o gyffuriau, nid o flinder neu fodlonrwydd. Mae'r
"adnoddau"'n ymgyfoethogi'n gyflymach yn ystod oriau
cwsg, a chynlluniwyd y driniaeth, a'n taflen amser
ninnau, gyda hynny mewn golwg.

Mae pump o oriau'r dydd yn mynd i wledda — ar bump ar hugain o dabledi. Pum tabled ar gyfer bob pryd, a phum pryd bob diwrnod. Y cyflyru, wrth gwrs, sy'n troi'r tabledi'n wledd — i'r Lleill. Pa ryfedd, felly, i'r Lleill groesawu'r cyflyru? Onid derbyniol yw'r cyflyru hwnnw sy'n troi arlwyaeth ddisylwedd yn wledd?

Wedi'r cysgu a'r gwledda, fe erys saith awr y dydd o amser cloc. Dwy awr ar gyfer y "triniaethau", a phump yn rhydd.

Rhydd? Beth yw rhyddid?

Gwelaf y Lleill — y gweddill o drigolion L3 — yn mwynhau eu pum awr o ryddid. Naw deg naw o fodau ar ffurfiau dynol, o'r ddau ryw; eu cyrff yn ddeg a thrigain oed, a'r driniaeth yn ddeufis.

Ni fanylaf. Os bydd darllenydd i'r geiriau hyn, maddeued i mi am wrthod manylu. Ond os oes unrhyw ledneisrwydd yn perthyn i'th gyfnod di, ddarllenydd, yna'n sicr ddigon ni faddeuet i mi pe manylwn ynglŷn â'u pum awr o ryddid.

Rhyddid? Rhyddid o bob abnormalrwydd yw eu rhyddid; a'u normalrwydd yw adleisio'r rhaglenni cyflyru'n ddi-wall.

Efallai nad wyf fi, nac eraill o'r Ychydig, yn berchen unrhyw ryddid bydol mwyach. Fe ddaeth terfyn eithaf i'r rhyddid hwnnw bymtheng mlynedd yn ôl. Ond rydym yn berchen rhywfaint o'r rhyddid arall o hyd.

Pa beth a wnawn gyda'r rhyddid hwnnw?

Och nyni — dim ond gofidio am gaethiwo'n cyrff cyhyd! Pa beth ynteu yw gwir ryddid, ddarllenydd? A yw dy gyfnod di, a'th frodyr di, a'th fyd di yn ei berchen?

Ai rhydd tydi? A wyt ti yn berchen rhyddid?
Os ydwyt — pa beth a wnei ag ef?
Ystyria dy ateb — a chofia mai dyn wyt.
A chofia hefyd mai dynion oeddem ninnau, unwaith.

RHAN 2

Dyddiadur Canol Marc

    o'r cyfnod 5 Ionawr 1984 — 10 Ionawr 1984
    ynghyd â rhai llythyrau a dderbyniodd
    yn ystod y cyfnod hwnnw

wedi'u plethu â

Dyddiadur Olaf Marc

    o'r cyfnod 1 Medi 1999 — 31 Rhagfyr 1999
    ynghyd ag atodiad diddyddiad
    o ddechrau'r unfed ganrif ar hugain

Dyddiadur Canol Marc — 1

5 Ionawr 1984

Mae'n rhy hwyr, bellach. Yn rhy hwyr i mi, ac i bawb arall o'r Ychydig. Bellach, nid oes modd atal Cyngor y Frawdoliaeth. Collwyd y cyfle. Maent yn hollalluog erbyn hyn. Nid oes modd gwneud dim. Yn fuan iawn — ychydig ddyddiau, efallai? — fe ddechreuir ar y cynlluniau eithaf. Ac nid oes dim y gellir ei wneud.

Mae'n amlwg nad yw Cwansa'n un ohonom ni, bellach — mewn unrhyw fodd. Haws credu hynny na chredu nad yw'n sylweddoli sut mae pethau'n mynd — ac wedi mynd, ers amser. Mae Anna'n sylweddoli — i'r byw. Ond yn anfodlon cyfaddef hynny. Pam na ddywedodd hi wrtho, cyn i bethau fynd mor bell?

Pyped neu beidio, roedd dylanwad Cwansa'n dal yn gryf hyd yn ddiweddar iawn — a'i swydd yn rhoi cyfle gwych iddo weithredu'n rymus. Pam na weithredodd? Onid oedd yn sylweddoli fod angen gweithredu?

Pa bryd y dylid torri'r pydredd allan o'r cnawd? Pa fodd mae penderfynu'r amser addas i gyfnewid cyllell am eli? A ellir maddau gormod? A oes modd i faddeuant droi'n felltith? Beth os yw maddeuant yn meithrin pechodau pellach? Beth wedyn?

Tybed nad oeddem yn cyfystyru maddeuant â llwfrdra — yn anymwybodol? Neu'n ymwybodol? Tybed nad ofn oedd arnom — ofn i'r pydredd, o'i drin â chyllell finiog, fwrw'i had mall i'n cnawd ninnau?

A ellir condemnio a chosbi a maddau — gyda'i gilydd? Duw, efallai — ond nid dyn. O leiaf, nid myfi. Os wyf yn condemnio ac yn deisyfu cosbi, nid wyf yn ddigon mawr i fedru maddau, hefyd. Ddim o ddifrif — dim ond rhyw gysgod o faddeuant, chwerw, di-ddim, rhagrithiol.

Na — mae'n rhaid i mi faddau i Gwansa, ac atal y condemnio. Ac atal hefyd unrhyw ymgais i gosbi. Pwy wyf fi, i fantoli Cwansa — ac atal maddeuant?

Ac os felly gyda Chwansa, lle nad oes cariad i ddallu rheswm nac i afradu tosturi, pa fodd y gellir disgwyl i mi fantoli a chondemnio a chosbi Anna?

Oherwydd nid wy'n gwybod y gwirionedd — ai euog, ai dieuog? Ac nid oes modd i mi gael gwybod — byth.

Ac os euog — na ofynned neb i mi fod yn erlynydd nac yn farnwr nac yn ddienyddiwr.

Dyddiadur Canol Marc — 2

6 Ionawr 1984

Pwy a feddyliai, yn y blynyddoedd hynny pan nad oedd "Mil-Naw-Wyth-Pedwar" yn ddim amgen na theitl llyfr anhygoel, fod y llyfr hwnnw mor agos i'r gwirionedd?

Mentrais ddarllen y llyfr eto neithiwr. Roedd darnau ohono'n dal yn chwerthinllyd — ie, cefais y fraint amhrisiadwy o chwerthin unwaith eto! Mor chwerthinllyd, mor ffaeledig â horosgob llynedd. A darnau eraill ohono'n gwbl afresymol — yn ymddangos yn naïf iawn erbyn hyn.

Ond mor agos ydyw i'r gwirionedd, yn ei hanfodion. Y manylion, yn unig, sy'n ddiffygiol.

A'r "Byd Newydd Dewr"? A yw hwnnw mor agos i heddiw ag yw heddiw i ddoe? Neu'n nes na hynny, hyd yn oed? Oni fydd yr ychydig ddyddiau nesaf — os dechreuir ar y cynlluniau eithaf — yn ein tywys i mewn i'r "Byd Newydd Dewr"?

Mae'n rhy hwyr yn awr i ni fedru newid y drefn. Eto i gyd — mor gryf yw gobaith ar ei eiddilaf! — efallai fod gobaith o hyd.

Mae'n anodd credu fod y meidrolion bach hynny a adwaenais, hanner oes yn ôl, yn gnewyllyn yr Ychydig sy'n berchen yr unig allwedd — os oes allwedd — i ddrws gobaith. Yr unig rai a all newid tynged byd — os gellir ei newid.

Ac anos credu mai un o'r meidrolion hynny a heuodd — o'i gariad tuag at y difreintiedig — y cynhaeaf chwerw y mae byd gorthrymedig yn ei fedi'n awr. Mae'n amhosibl ei gredu, bron. Pam ni? Sut y bu i'r gyfeillach fechan honno, yr ychydig feidrolion hynny, gael eu sugno i mewn i ganol y trobwll? Pam ni? Pa ffactorau, pa ddeddfau, pa ffawd, pa fath ragluniaeth a benderfynodd mai yn y fan a'r lle hwnnw, yn yr amser hynny, y dygid ceidwaid gobaith gwan y dyfodol i gysylltiad llac, anymwybodol, dibwys â'i gilydd? Ac i gysylltiad hefyd â heuwr yr had melltigedig?

Cwansa a'i Frawdoliaeth "bitw". Ie — pitw! Cwansa a'i sêl "di-fudd", a'i grwsâd "chwihotaidd" ar ran lleiafrifoedd difreiniog y byd. Cwansa'r "Meseia" — yn pigo'i drwyn, ac yn rhechan yn y bath, ac yn glanhau'r bwyd o'i ddannedd gyda thudalennau gwyryfol pamffledi'r Frawdoliaeth.

Ond heddiw — boed byped neu beidio — â'i fys ar y botwm.

Pedr, hefyd. Yn hel mwyar ac yn hel merched. Yn baldorddi ac yn methu â phenderfynu. Pedr annwyl, chwit-chwat — Prif Beiriannydd Adran Gyfrifyddion Cyngor y Frawdoliaeth. Pwy a gredai hyn — yr adeg hynny? A phwy, heddiw, a gredai yr hyn a fu?

Siwsan, hefyd — nid yw hithau'n ddibwys, chwaith.

Ac Anna, wrth gwrs.

A minnau.

Yn enw popeth — sut y bu i hyn fod? Pa ymblethiad cywrain o lwybrau'r sêr a'r planedau a ragflaenodd hyn i gyd?

Breuddwyd yw'r cyfan. Nid oes modd i hyn fod yn wir. Pam ni — ychydig feidrolion dibwys a daflwyd at ei gilydd, i gornel anghysbell, flynyddoedd yn ôl?

Ond nid breuddwyd mohoni. Gennym ni mae'r allwedd. Yr unig allwedd. Os oes allwedd. A Chwansa — yr arch-byped — sydd â'i fys ar y botwm.

A rhyngom ni a Chwansa: Anna.

Anna — rhwng daear ac uffern. Os gwir yr hyn a glywir.

Ond nid wyf fi yn gwybod. Ai gwir? Ai anwir?

Oes rhywun — ond Anna — yn gwybod?

Llythyr oddi wrth Pedr — 2

6 Ionawr 1984

F'Annwyl Gyfaill,

'Does wiw i ni oedi ymhellach. Mae'n rhaid i ni benderfynu. Yn fuan iawn, fe fydd yn rhy hwyr.

Fe wyddost fod "Yr Ychydig" yn barod. Ac yn aros am dy arweiniad. Ti yw'r unig ddolen sy'n gyswllt cryf, uniongyrchol, ymarferol rhyngom ni ac Anna. Ac Anna a Chwansa. A Chwansa a'r unig obaith sydd gennym.

Pam nad wyt yn barod i weithredu? Er mwyn byd!

Beth yw Anna i ti bellach? Wyt ti'n ddall? Fe wyddost fod popeth a ddywedais yn wir. Pam nad wyt yn fy nghredu? Onid yw'r arwyddion yn amlwg i'r sawl sy'n fodlon edrych?

Fe wyddost am y cynlluniau newydd. Fe wyddost beth fydd yn deillio ohonynt. Fe wyddost na fydd troi'n ôl yn bosib. Onid wyt tithau, hefyd, wedi derbyn y platinwm?

Gweithreda, Marc. Nid y dyfodol yn unig sydd yn dy ddwylo, ond y gorffennol, hefyd. Ai ti sy'n mynd i lofruddio'r dyfodol yn ogystal ag ofera'r gorffennol?

Nid yr Anna sy'n bodoli heddiw yw dy Anna di. Nid hon yw'r ferch a geraist, unwaith. Mae'n rhaid i ti gredu, Marc.

Defnyddia hi — fel erfyn. Nid Anna yw hi, mwyach.

Ac oni ddefnyddiodd hi tydi?

Un dyn — tydi, Marc — biau'r dewis.

Er mwyn popeth,

Pedr.

Dyddiadur Olaf Marc — 11

1 Medi 1999 — prynhawn

Rwy'n sicr fy mod wedi gweld un o'r Ychydig yma heddiw — amser "cinio", yn fan hyn, yn y Cartref Machlud. Roedd y graith yn y lle iawn — o leiaf, roedd yn ymddangos felly i mi, hyd braich oddi wrtho.

Tybed ai drwyddo ef y daeth llythyr Pedr i mi?

Ceisiais roi arwydd iddo, heb dynnu'u sylw Nhw — ond methais. O leiaf, ni sylwais ar unrhyw fath o ymatebiad cadarnhaol ar ei ran. Wrth gwrs, roedd dau ohonyn' Nhw'n bresennol, ac un o'r ddau o fewn dim i ni; efallai mai dyna pam na chefais unrhyw fath o ateb cadarnhaol.

Mae'n dal yn bosibl ei fod yn un o'r Ychydig. Onid oedd ei wyneb yn llawn atgasedd, wrth iddo gnoi'r pelenni-porthiant? A pha well arwydd mai un o'r Ychydig ydoedd? Ac roedd yntau, fel finnau, amrantiad yn hwyrach na'r Lleill yn adweithio i'r is-raglen gyflyru ar ddiwedd y "pryd".

Pwy yw? Nid oedd yn un o'n cyfeillach gyfyng ni, bymtheng mlynedd yn ôl. Beth oedd ei swydd? Mae'n amlwg ei fod yn rhywun — rhywdro — os craith y platinwm oedd y graith a welais.

Ond pa wahaniaeth beth oedd na phwy oedd? Fel fi, nid oes ganddo — fel dyn — na gorffennol na phresennol na dyfodol yn y fan hyn.

Eto i gyd, hoffwn wybod. Hoffwn sgwrs ag ef. Sgwrs! Chefais i ddim sgwrs am ddeufis! Nid yw cyfnewid shibolethau diwaharddedig yn sgwrsio. A phrin — prin iawn — oedd y sgwrsio yn ystod y pymtheng mlynedd cyn dod yma, hefyd. Unwaith neu ddwy y mis, efallai — am ychydig funudau — yn llechwraidd. Ac ambell i lythyr cudd weithiau, i bontio'r agendor.

Beth fyddai'r sgwrs, tybed, pe cawn y cyfle i sgwrsio ag ef, heddiw? Hanes ein neiniau, mae'n debyg! Trafod yr achau, gosod y gefnlen. Sôn am gyfnod pan oedd dyn yn aelod o deulu, cyn iddo droi'n ddim ond rhif mewn Brawdoliaeth. Onid oedd y pethau hyn yn bwysig yn yr ychydig sgyrsiau anaml, cyn dod yma? Ymfalchïo mewn gwahanrwydd, a phrofi hynny drwy ddangos diddordeb mewn gorffennol a balchder mewn gwreiddiau.

Yna — yn ail — sgwrsio am heddiw. Am Omega-delta, mae'n debyg: pa newydd, pa obaith? Ac am y doe agos — y dewis a'r gwrthod, y colli cyfle, yr anwybodaeth a'r anwybyddu. Trafod Cwansa, efallai. Ac eraill. Eu hynt a'u helynt. A'r sïon.

Tybed a gawn ddigon o ddewrder i'w holi am Anna? Yn sicr, fe fyddai'n gwybod rhywbeth amdani. Tybed a fedrwn ofyn iddo — y cwestiwn?

Ei holi am Anna — a'i glywed yn ategu'r sicrwydd hwnnw sydd eisoes yn fy meddiant. Clywed arall yn datgan nad ar Anna roedd y bai.

Wyt ti gyda ni o hyd, Anna? Yn un ohonyn' Nhw? Neu'n un o'r Ychydig o hyd? Neu'n un o'r Lleill? Neu'n rhywbeth arall, gwahanol?

Credais unwaith fy mod yn dy ddeall — yn dy adnabod. Ond na — ni wnes i dy ddeall di erioed, Anna. Dim ond dy garu. Efallai mai dyna pam y'th gerais di — am nad oeddwn yn gallu dy ddeall di.

Efallai mai dyna pam rwy'n dy garu'n awr, Anna. Am fy mod yn gwybod na chaf byth dy ddeall di — beth bynnag a wnest, beth bynnag y methaist ei wneud; beth bynnag wyt, beth bynnag nad ydwyt.

Nid y cadeirydd a'i bleidlais olaf sydd i'w gondemnio am y ddedfryd anghywir. Onid pleidleisiau'r lleill a'i gwthiodd i'w sefyllfa ofnadwy?

A phwy a wad nad sefyllfa o'r fath oedd dy sefyllfa di?

Dyddiadur Olaf Marc — 12

1 Medi 1999 — nos

Rwy'n gallu meddwl yn gliriach nag ar ddechrau fy "ngwyliau" yn y Cartref Machlud. Yn sicr, mae'r cyflyru'n gwanhau.

Pa mor drwm yw'r straen ar yr Uchel Gyfrifydd erbyn hyn? Faint o'r is-raglenni sydd wedi'u trosglwyddo i'r gwaith o ddadansoddi negesau Omega-delta?

A welir diorseddu'r Uchel Gyfrifydd? A geir byd o ddynion sy'n deisyfu rhyddid, unwaith eto?

Nid dynion rhydd — ond dynion sy'n deisyfu rhyddid. Onid yw deisyfu rhyddid yn rhagorach ystad na bod yn rhydd?

O'r tu allan i'r byd hwn, bellach, mae unig obaith y byd. Rhyw Omega-delta, yn unig, all ddod â gwaredigaeth yn awr.

Ac os daw gwaredigaeth — beth wedyn? Pa beth a wneir â'r miliynau cyflyredig? Ac â'r erchyllbethau di-ryw sy'n prysur dyfu'n fwyafrif? Ai rhydd i ni eu "diddymu" am nad ydynt bellach yn ddynion?

Pelenni-porthiant i wartheg! Pam lai? Oni laddwyd y dyn yn y corff, ymhell cyn hyn, pan dreiddiodd y trydan i'r ymennydd yn y cyflyru uniongyrchol cyntaf?

A Nhw: os dynion ydynt o hyd, onid ydynt — fel dynion — wedi fforffedu'r hawl i dderbyn gwaredigaeth?

Gedy nyni — yr Ychydig. Yr Ychydig a wrthododd yr "anrhydedd" o fod yn aelodau ohonyn' Nhw, ond a ddewisodd fod ymhlith y Lleill.

Pam ac i beth? Oherwydd i ni gredu mai'r dewis

yna'n unig allai roi ystyr i'r dyfodol a rheswm dros y gorffennol?

Ond i beth? Pam y credem mai da oedd gwarantu'r ddeubeth hyn? Pa fudd sydd mewn parhad cyfundrefn o fodau rhydd — megis a fu am ganrifoedd cyn hyn — a'u rhyddid yn rhyddid i dreisio a hagru a niweidio a chablu a rhagrithio? Onid gwell fyddai byd perffaith yr Uchel Gyfrifydd?

Fe fuasai gan Fodryb Bodo ateb. Ond nid oes gennyf fi.

Nid oes gennyf unrhyw syniad pam y dewisais yn y modd y dewisais. Nid oes un dyn yn gwybod ei resymau dros ddewis y naill beth yn hytrach na'r llall. Mae'n dewis gyda'r galon — ac yna'n ceisio esbonio'r dewis, gyda'r pen. Nid ei reswm a ffurfiodd ei ddewis; pa ryfedd felly nad yw'n deall ei ddewis?

A pha ryfedd na ddeallais Anna? Nid wyf yn deall fy hunan. Nid wyf yn deall unrhyw ddyn. Nid oes unrhyw un yn deall unrhyw un — nac arall nac ef ei hun.

Ond yn unig garu. Heb ddeall. Caru am nad oes modd deall.

Ac ym myd perffaith yr Uchel Gyfrifydd, fe fyddai popeth yn ddealladwy.

Heb le i gariad.

Efallai mai dyna pam y dewisais amherffeithrwydd rhydd. Er mwyn cael cadw'r hawl i garu.

Ai dyna pam y dewisodd Anna fod yn un ohonyn' Nhw?

Am nad oedd cariad ynddi?

Llythyr oddi wrth Pedr — 3

8 Ionawr 1984

Marc,

Sgrifennais atat ddeuddydd yn ôl. Ni ddaeth ateb. Nid wyt wedi gwneud dim. Pam — yn enw popeth — nad wyt yn fodlon i ni gyfarfod â'n gilydd?

Rydym yn dal i ddisgwyl — am air neu weithred.

P'un yw hi i fod? Anna, neu bopeth a fu ac a fydd? Nid oes gennyt ddewis rhwng cadw dy ddwylo'n lân ai peidio — ond yn unig sut y maeddir hwynt.

Mae'n rhaid cael Cwansa i weithredu'n cynllun ni — heb yn wybod iddo ef ei hun, o bosib. Anna yw'r unig gyfrwng. Nid yw'r ddeuddyn hyn yn bris rhy ddrud i'w dalu.

Cwansa'n unig sydd mewn sefyllfa i newid rhaglen ddiweddaraf y Prif Gyfrifydd. Anna'n unig sydd mewn sefyllfa i gael Cwansa i weithredu. Ti'n unig sydd mewn sefyllfa i gael Anna i weithredu.

Onid yw'n gwbl glir?

Pa reswm sydd gennyt dros wrthod credu'r cyfan a ddywedais wrthyt?

Fe wyddost — yn well na neb — beth fydd y canlyniad oni newidir y rhaglen ddiweddaraf. Ac fe wyddost mai deuddydd yn unig sydd wrth gefn.

Gwn nad wyt yn malio dim am aberthu Cwansa. Ond pa hawl sydd gennyt dros wrthod aberthu Anna? A pha reswm? A ph'un bynnag — beth yw "aberth" ond camddiffiniad o ddyletswydd? Yn enw popeth a phawb — ie, yn enw Anna hefyd, pe baet ddim ond yn sylweddoli hynny — gwna rywbeth neu dwed rywbeth!

Fe welaist yr anifeiliaid yn yr arbrofion. Fe welaist effaith y cyflyru uniongyrchol.

Welaist ti, tybed, yr arbrofion gyda dynion? Ni fuaset yn dal yn ôl pe baet.

A'r "addasu"? Cred fi — mae'r cynllun cyflyru'n ddieflig, ond y cynllun "addasu" y tu hwnt i ddychymyg Diafol ei hun. Dim ond peiriant allai greu'r fath gynllun.

Deuddydd sydd gennym. Mae llai na chant wedi derbyn y platinwm yn llwyddiannus. Negyddu'r Prif Gyfrifydd yw'r unig obaith.

Ti biau'r dewis — aberthu Anna neu lofruddio byd.

Na — mae'r dewis yn symlach: aberthu un a oedd unwaith yn Anna er mwyn parhad y pethau hynny a'i gwnaeth hi, unwaith, yn eilun i ni i gyd.

Marc annwyl — brysia!

Cred fi — nid wy'n celu dim.

Pedr.

Dyddiadur Canol Marc — 3

9 Ionawr 1984

Diwrnod oer iawn. Roedd yn oer yn y Sefydliad, serch y gwresogi. Rhyw ddiffyg ar yr is-gyfrifydd-amgylchedd, o bosib. Anodd credu fod diffyg ar gyfrifydd!

Ychydig oedd i'w weld drwy'r ffenest. Ychydig, wrth gwrs, sydd i'w weld pa mor ffafriol bynnag yw'r tywydd. Gweddill y gwenwyn — er mor wan ydyw erbyn hyn, dair blynedd yn ddiweddarach — sy'n cyfyngu ar nifer y rhai a welir allan yn yr awyr agored. Hynny — a'r rheolau, wrth gwrs.

Bûm allan fy hunan am ychydig funudau — roedd darlleniadau'r arwyddion yn rhy beryglus o uchel i aros allan yn hwy. Ond ni welais aderyn. Mae dau ohonynt i'w gweld nid nepell o fan hyn, yn ôl a glywaf. Rhown y byd am gael clywed y gylfinir yn galw.

Mae gwaith y Sefydliad yn fwy ystrydebol nag erioed. Oes yna rywbeth heb fod yn ystrydebol, bellach?

Gwelais y cynllun cyflyru uniongyrchol yn ei grynswth, heddiw — yn swyddogol. Mae'n amlwg, o'i ddarllen (rhwng y llinellau), nad anghywir mo'r disgrifiad a gawsom rai misoedd yn ôl drwy Bedr. Ond dim sôn — yn swyddogol — am y cynllun "addasu".

Daeth llythyr oddi wrth Pedr, heddiw. Mae'n rhy hwyr, wrth gwrs. Ni all Anna wneud dim. Pam ei mentro, felly? Ac mae Cwansa wedi mynd yn rhy bell — rhy bell i neb fedru gwneud dim. A pha sicrwydd sydd gennym fod Anna mewn sefyllfa i fedru "tywys" Cwansa? Nid oes gennym unrhyw sicrwydd.

Eisoes, mae'r gyfundrefn gyfrifyddol yn rhy gymhleth i ni fedru gwneud dim. Hyd yn oed Cwansa, pe dymunai wneud rhywbeth — nid oes sicrwydd y gallai ef negyddu'r cyfan. Onid yw'r cyfrifyddion i gyd yn hunanamddiffynnol erbyn hyn?

A phwy a ŵyr ai Cwansa yw Cwansa? Onid yw'r sïon yn gryf — fod rhannau cyntaf y cynllun "addasu" eisoes wedi'u gweithredu gyda rhai?

Fe ddylwn fod wedi mynd i'r cyfarfod olaf. Mae'r Ychydig mor wan. Pam nad es?

Mae Pedr yn celu rhywbeth. Nid yw eto wedi dweud wrthyf yr hyn oll a ddigwyddodd yn y cyfarfod olaf. Ai ofn fy mrifo? Neu'n unig — ofn?

Do, fe ddaeth llythyr oddi wrtho heddiw — ond mae'n gwybod fy ateb heb i mi ei sgrifennu.

Pam na chaf glywed hanes y cyfarfod yn llawn — heb gelu dim?

Efallai y gweithredwn wedyn — pe bai'r ffeithiau i gyd gennyf.

Ond heb y ffeithiau, nid oes hawl gennyf i aberthu Anna. Beth pe bai'r ffeithiau'n anghywir?

A hyd yn oed pe baent yn gywir, nid aberthwn y gorffennol byw am y posibilrwydd — anfeidrol fychan — o atgyfodi'r dyfodol marw.

Oherwydd mae'r dyfodol eisoes yn farw.

A doe ac Anna yn rhy werthfawr i'w haberthu.

Llythyr oddi wrth Pedr — 4

9 Ionawr 1984

Marc,

Fe fydd yn rhy hwyr, o bosib, pan dderbynni hwn. Onid yw'n chwerthinllyd, yn yr oes hon, ac yn ein swyddi ni, dy fod yn fy ngorfodi i gyfathrebu â thi drwy gyfrwng llythyr ysgrifenedig?

Dyma dy gyfle olaf, Marc — onid yw'n rhy hwyr yn barod.

Rwyt wedi gweld y rhaglenni diweddaraf a gynhyrchwyd gan y Prif Gyfrifydd ar gyfer y cyfrifyddion eraill. Wyt ti'n fodlon credu 'nawr?

Gwn dy fod yn gwrthod gweithredu am i ti amau'r ffeithiau. Gwn dy fod yn credu ein bod wedi celu rhan o'r adroddiad am y cyfarfod olaf — ac am Anna, wrth gwrs — oddi wrthyt. Ond cred fi — cefaist glywed y cyfan, a'r gwir yn unig.

Ond os wyt yn parhau i gredu na ddylid aberthu Anna, am i ti wrthod ein credu ni, yna gofyn hyn i ti dy hun: onid aberth bychan iawn fyddai Anna — a hithau'n berffaith, os felly y dymuni feddwl — o'i gymharu â ffrwyth yr aberth?

Bûm yn trafod â'r Ychydig eraill sydd o fewn fy nghyrraedd. Maent yn cyd-weld yn llwyr â'r hyn y ceisiaf ei ddweud wrthyt.

Rho egwyddorion o'r neilltu. Beth yw gwerth egwyddorion mewn byd o beiriannau o gnawd?

Fe dderbyniaist y platinwm, megis ninnau. Fe wyddost, fel ninnau, ein bod ar fin ildio popeth i gyfundrefn gyfrifyddol. Derbyniaist y platinwm, fel ninnau, am i ti gredu nad da oedd ildio.

Wyt ti'n parhau i gredu hynny?

Neu a wyt ti — Duw a faddeuo i mi: ni feddyliais am hyn o'r blaen! — a wyt ti'n fwy dieflig na Chwansa? A wyt ti, yn gwbl fwriadol, am gyfyngu'r dyfodol rhydd i ddyrnaid bychan dethol? Pam? Pa gynllun — pa gynllwyn — yw hyn?

Duw — a thithau — a faddeuo i mi. Nid wy'n credu fy awgrym fy hunan, Marc.

Ond atolwg — os gwrthodi weithredu — onid yr hyn a awgrymaf (er nas credaf) fydd dyfarniad y dyfodol arnat, Marc?

Y dyfodol! Clyw fi'n chwerthin! Ni fydd dyfodol os gwrthodi aberthu Anna.

Y gorffennol, ynteu. Hyn fydd dyfarniad y gorffennol arnat. A chredaf dy fod yn rhoi mwy o bwys ar hwnnw.

Er mwyn y gorffennol — gweithreda!

Ond efallai y bydd hi'n rhy hwyr pan dderbynni di hwn.

Fe fydd yn rhy hwyr.

Maddeued y gorffennol i ti, Marc.

Nid wyf yn dy ddeall.

Ni allaf ddweud rhagor. Nid oes dim o werth.

Pedr.

Llythyr oddi wrth Anna — 5

9 Ionawr 1984

F'Annwyl Farc,

Fe fydd yn rhy hwyr, wrth gwrs, pan dderbynni hwn. Ond dim ots — onid oedd hi'n rhy hwyr flynyddoedd yn ôl? Yn yr ysgol, wrth fenthyca pensil neu lyfr neu unrhyw declyn arall dianghenraid? Yn y Winllan, wrth ffoi oddi wrthym ein hunain? Yn y "Twb", wrth yfed coffi nad oeddwn yn ei fwynhau? Ar lawnt y Coleg? Ac yn ystod y cyfnod coll?

Sgrifennaf serch hyn i gyd. I ddiolch i ti. Rhoddaist gymaint.

Rhoddaist bopeth ond un peth — yr un peth a ddeisyfais yn fwy na dim. Dy gariad.

Wnest ti erioed fy neall i, Marc. Neu os gwnest, nid oeddit yn deall cariad.

Cedwaist oddi wrthyf yr un peth hwnnw a ddeisyfais yn fwy na dim: — dy gariad. Ond rhoddaist i mi yr un peth hwnnw a'n melltithiodd: Cwansa.

Pam y cyflwynaist ef i mi, erioed? Pam y melltithiaist fi ag ef? Ai credu roeddit — ond na, nid oes hawl gennyf i geisio treiddio i mewn i argymhellion dy orffennol.

Gwn dy fod yn gwrthod credu fy rhesymau dros wneud yr hyn a wnes yn y cyfarfod olaf o'r Frawdoliaeth. Bydded felly: tydi yn unig biau'r dewis — fy nghredu neu beidio.

Ni chawn fyth gwrdd â'n gilydd ar ôl heddiw. O leiaf, ni chaiff Marc ac Anna gydgyfarfod byth eto.

Heddiw yw'r diwedd, Marc. Diwedd cariad — diwedd popeth, felly.

Dim ond dwywaith yr adwaenais gariad: Cwansa tuag ataf, a minnau tuag atat ti.

Anna.

Dyddiadur Canol Marc — 4

10 Ionawr 1984

Gorffennwyd.
Dewisais — gyda'r ychydig eraill — awr yn ôl.
Ond eto — nid ydynt yn gwybod am y platinwm.
Dim llythyr oddi wrth Pedr — na neb arall.
Geiriau olaf cyn

Maent yma. Fe'u clywaf.
Dim amser. Cuddio hwn.

Brwydrwn.

Dyddiadur Olaf Marc — 13

1 Tachwedd 1999 — bore

Deufis heb ofyn i ni lenwi'r dyddiaduron!

A deufis cyn diwedd yr egwyl.

Mae'r driniaeth yn mynd rhagddi.

I ble'r aeth y pymtheng mlynedd? Pymtheng mlynedd heb wybod dim am Anna. Pymtheng mlynedd o uffern — dyn rhydd mewn corff byw mewn cawell gwynias.

'Doedd dim gobaith. Nid oedd digon ohonom. Cant, efallai? A'r platinwm heb fod yn berffaith.

Pymtheng mlynedd o fod mewn byd yn llawn o Ysbryd y Frawdoliaeth. A'r Lleill. A'r Nhw holl-lygadog. A'r Uchel Gyfrifydd, yn Ddyn ac yn Beiriant. A'r Di-rywiaid erchyll.

A freuddwydiaist ti am hyn, Cwansa?

A ddychmygaist ti hyn, Anna?

Tithau, Pedr?

Un peth a'm cadwodd — fy nghariad tuag at Anna. Er na ddeallodd hi erioed beth oedd cariad. Na'i berchen.

Mae'n anodd sgrifennu heddiw. Y driniaeth, efallai. Fel yna mae hi, weithiau. Fe fyddaf yn iawn eto, fory. Lan a lawr.

Dim llythyr oddi wrth Pedr.

Dim golwg am yr un a gredais oedd yn un o'r Ychydig.

Y cyflyru'n fwy anghyson nag erioed. Ond mae'r Lleill mor gyflyredig erbyn hyn, 'dyw atal y dirgryniadau cyflyru ddim yn cael unrhyw effaith "fuddiol" arnynt.

Omega-delta, mae'n debyg, sy'n achosi'r anghysondeb. Oes gobaith, tybed?

Digon am heddiw. Rwy'n hen, ac wedi blino.

Edrychaf drwy'r ffenest. Efallai y gwelaf Anna yn sefyll ar y lawnt.

Na — gwell peidio. Efallai y gwelaf ddrychiolaeth. Rhown y byd am frechdan jam mwyar duon. A chlywed y gylfinir. A gweld gwylanod uwch môr. Ac Anna. Maddau fy anghrediniaeth, o Dduw!

Dyddiadur Olaf Marc — 14

1 Tachwedd 1999 — prynhawn

> Fratolish hiang perpetshki
> fratolish hiang perpetshki
> fratolish hiang perpetshki
> ubi-umgobo hiang perpetshki
> ete-umgobo hiang perpetshki
> hemi-umgobo hiang perpetshki
> al computerex
> al computerex
> al computerex
> fratolish hiang perpetshki
> fratolish hiang perpetshki
> fratolish hiang perpetshki
> anak perpetshki
> quanak perpetshki
> computerex perpetshki

Dyddiadur Olaf Marc — 15

31 Rhagfyr 1999 — bore

Rwyf am anghofio mai hwn yw'r bore olaf. Fe hoffai'r
Uchel Gyfrifydd hynny. A phrynhawn heddiw, hefyd,
wrth lenwi fy nyddiadur, fe geisiaf anghofio. Fe hoffai'r
Uchel Gyfrifydd hynny, hefyd.

Fe ddaeth i'n gweld, neithiwr. Yr Uchel Gyfrifydd ei
hun. Y Dyn, wrth gwrs, nid y Peiriant.

Rwy'n credu ei fod wedi dod i'n gweld. Teimlais Ysbryd
y Frawdoliaeth ymhobman.

Roedd yn edrych yn frawdol iawn pan ddaeth i'n
gweld, neithiwr. Fel ni, ac eto fel Peiriant. Rhyw fflach yn
ei lygaid sy'n ddieithr i ni'r gweddill, fel fflachiadau
electronaidd y Peiriant ei hun. A'i groen yn fetalaidd
hardd.

Cyffyrddais â'i groen. Nid oedd yn oer. Nid oedd yn
fetalaidd. A theimlais wefr rhyfeddol yn arllwys o'i gorff
hardd i'm corff i.

Mae'r lawnt a'r blodau'n dlws iawn. I'r Uchel Gyfrifydd
mae'r diolch.

Roedd Anna ar y lawnt. Neithiwr hefyd. Yn dlws
ryfeddol. Yn swil.

Cloch.

Cinio olaf. Bwyd. Mae'n draddodiad i'r cinio olaf fod
yn fwyd.

Rhaid mynd. Heibio i'r lawnt.

L2 aeth heibio i'r lawnt, ddoe. I gael bwyd i ginio. I gael
bod yn fwyd i ginio. I dderbyn eu hanrhydedd.

Heibio i'r lawnt yna, fan acw.

Mae Anna yna o hyd.

Rhannau o'r Llith Olaf yn Nyddiadur Olaf
y Gŵr o'r Enw Marc.

(Ceir y llith olaf cyflawn yn y Rhagarweiniad.)

31 Rhagfyr 1999 — prynhawn

Y Dydd Olaf — olaf o'r ganrif fer, olaf o'm hoedl hir.

· · · · · ·

Pa bryd mae dynion — os dynion ydyn' Nhw — yn mynd i ddysgu beth sy'n fach a beth sy'n fawr, beth sy'n bwysig a beth sy'n ddibwys?

· · · · · ·

Nid yw effeithiolrwydd fy nulliau yn bwysig. Nid yw llwyddiant llwyr yn bwysig. Yr hyn oedd — sydd — yn bwysig yw fy mod i, caethwas yr amgylchfyd, wedi gwneud ac yn gwneud popeth a ellid ei wneud.

· · · · · ·

Ond wrth gwrs, gallaf negyddu'r platinwm. Mae'n hawdd ei negyddu; hawdd ymdoddi i mewn i'r patrwm, troi enaid yn anadl, cydwybod yn gyhyr, a'r hunan yn ddarn o bawb. Ac fe fuasai tragwyddoldeb y deirawr nesaf yn dderbyniol.

Na — cedwais ef cyhyd, fe'i cadwaf hyd y diwedd. Byddaf farw yn ddyn rhydd.

· · · · · ·

Marc yw fy enw. Bron na ddywedwn — oedd fy enw. Yn ddeg a thrigain oed, dair wythnos yn ôl.

135

Saith deg o flynyddoedd yn ôl y'm ganwyd. Cyn y cyflyru.

Pan welid gwylanod uwch môr, ac y clywid y gylfinir yn galw am law. Pan dyfai mwyar ar fieri, a dail byw ar goed y Winllan.

Cyn y cyflyru? Pa gyflyru? Onid yw'r cyflyru mor hen â myfi fy hun? Mor hen â chymdeithas? Mor hen â chred yr ail o fodau dynol?

. . . . . .

Darllen yr hyn a ddaw i'th ran. Telais yn ddrud amdanynt. Defnyddia hwy. Bydd wych!

Munud.

I Anna.

I Dduw.

. . . . . .

Atodiad diddyddiad i'r casgliad o ddogfennau,
yn llawysgrif y Cyflwynydd Anhysbys.

I Marc —

    yn gofeb ac yn gondemniad;
    yn bardwn ac yn erlyniad;
    er anrhydedd — er sarhad.
Gwnaf hyn o'm cariad ac o'm casineb.
Fe wyddai — ac eto, ni wyddai.

. . . . . .